DE R

Qui aime bien, vaccine peu !

Préface de Michel Georget

Extraits du catalogue Jouvence

Peau à peau, Ingrid van den Peereboom, 2009
L'album tendresse de la nouvelle maman, Claude-Suzanne Didierjean-Jouveau & Daphné Dejay, 2008
Bien comprendre les besoins de votre enfant, Aletha Solter, 2007
Pour une naissance à visage humain, Claude-Suzanne Didierjean-Jouveau, 2007
La vie sans couches, Sandrine Monrocher-Zaffarano, 2005
8 minutes pour être en forme, Jean-Paul Pes, 2005
Masser bébé, Rachel Izsak, 2004
Allaiter, c'est bon pour la santé, Claude-Suzanne Didierjean-Jouveau, 2003
L'enfant végétarien, Dr Franck Senninger, 2003
Vaccinations : le droit de choisir, François Choffat, 2001

Catalogue gratuit sur simple demande

ÉDITIONS JOUVENCE
France : BP 90107 – 74161 St-Julien-en-Genevois Cedex
Suisse : CP 184 – 1233 Genève-Bernex
Site internet : **www.editions-jouvence.com**
Mail : info@editions-jouvence.com

Nouvelle édition revue et actualisée
ISBN 978-2-88353-753-8

Maquette intérieure et de couverture : Éditions Jouvence
Dessin de couverture : Jean Augagneur

Sommaire

Préface

Il semble que les vaccinations n'aient pas eu le rôle majeur qu'on leur attribue, mais que l'amélioration des conditions de vie et de l'hygiène générale a été le facteur déterminant dans la régression des maladies infectieuses.

Plusieurs études relient des maladies auto-immunes à certaines vaccinations. Est-il raisonnable de vacciner un enfant pour lui éviter les oreillons, dont il guérirait sans problème, mais de lui faire courir le risque d'un diabète qu'il gardera toute sa vie ? Tout aussi discutable est la vaccination contre l'hépatite B dans nos pays de faible prévalence, compte tenu du risque de la survenue d'une maladie neurologique grave.

Restons lucides et tentons, pour toute maladie, de réfléchir à son importance, sa gravité, son mode de transmission, ses moyens de traitement, et de considérer en parallèle l'efficacité du vaccin, sa durée de protection et, surtout, ses effets secondaires dont le recensement est souvent négligé.

À partir de là, un choix éclairé est possible. Dans cette perspective, l'ouvrage que vient de réaliser le groupe de médecins de

Suisse romande sera un guide très utile pour alimenter la réflexion des familles et de leurs praticiens.

Michel Georget
Auteur de *Vaccinations, les vérités indésirables,*
Éditions Dangles, 2000
Agrégé de Biologie,
Professeur honoraire des classes préparatoires
aux Grandes Écoles biologiques françaises

Présentation

Il existe aujourd'hui un programme de vaccination pratiquement identique pour tous les pays de la planète et cautionné par l'Organisation mondiale de la santé (OMS). Nous nous limiterons ici aux pays francophones du nord, France, Belgique, Suisse et Canada. Même si on tend à une uniformisation mondiale, la législation propre à chaque État introduit des nuances d'application : âge, nombre de rappels, obligation légale.

Le programme est chargé : à la fin de sa scolarité, chaque enfant aura reçu près de quarante immunisations, contre une dizaine de maladies.

Par la suite, seul le vaccin du tétanos – depuis peu associé d'office à celui de la diphtérie – est refait régulièrement, en cas de blessure. L'entrée dans certaines écoles ou professions s'assortit d'obligations vaccinales. Les voyages sont l'occasion d'une mise à jour des rappels et d'un élargissement des vaccinations à des maladies exotiques. Finalement la vieillesse a aussi ses vaccins.

S'il est, en médecine, un thème sensible, c'est bien celui des vaccinations où le discours officiel ne tolère aucune critique aussi pondérée soit-elle. Quiconque émet un doute au sujet d'un vaccin est aussitôt catalogué d'« anti-vaccinaliste », comme s'il n'y avait aucune place pour la discussion et que l'on était condamné à être ou pour ou contre les vaccins. Il est possible de mettre en doute l'usage d'un antibiotique ou d'un médicament contre la douleur, mais personne ne songerait à diviser l'humanité entre partisans et adversaires des antibiotiques ou des antalgiques.

Les effets secondaires des vaccins sont-ils correctement évalués ? Peut-on vacciner, avec le même bénéfice pour chacun, toute une population constituée d'individus réagissant différemment aux maladies et aux remèdes ?

Ce livre a pour but de répondre aux questions que chacun a le droit de se poser et d'offrir un point de vue médical nuancé afin de faciliter un choix éclairé en matière de vaccination, dans les limites des contraintes légales.

Cet ouvrage a été rédigé par des membres du Groupe médical de réflexion sur les vaccins, formé d'un collectif de médecins suisses romands qui, sans remettre en question le principe des vaccinations, se posent des questions sur la généralisation d'un nombre toujours plus grand de vaccins, en particulier chez des enfants toujours plus jeunes.

Les auteurs de cet ouvrage, habitués à soigner des enfants, ont constaté des affections, graves ou bénignes, survenant après des vaccinations. Ils sont en désaccord avec ceux de leurs confrères qui nient par principe toute causalité vaccinale, au profit de « coïncidences » leur permettant de ne pas remettre en cause leur pratique.

Dans les pages qui suivent, chaque vaccin est traité séparément. Ainsi, le lecteur pressé peut passer directement au chapitre qui l'intéresse plus particulièrement. Pour chaque vaccin, une synthèse propose le point de vue des auteurs.

Introduction

Histoire des vaccinations

Le premier vaccin remonte à 1796. C'est un médecin anglais, le docteur Jenner, qui eut l'idée d'inoculer, à des individus en bonne santé, le pus de la variole des vaches, dans le dessein de les protéger contre la variole humaine.

On ignorait à l'époque les agents de ces deux affections, car on ne connaissait ni les virus ni les bactéries responsables des maladies contagieuses. La variole de la vache s'appelait la « vaccine », d'où le nom de cette nouvelle technique de prévention qui donna d'emblée lieu à de grandes campagnes de « vaccination ».

Liste des vaccins les plus courants

1796	Variole	Virus vivant de la variole de la vache
1881	Rage	Virus vivant atténué
1893	Choléra	Bactérie tuée
1896	Typhoïde	Bactérie tuée
1921	Tuberculose (B.C.G.®)	Bactérie atténuée de la tuberculose bovine
1923	Diphtérie	Toxine atténuée du germe

1923	Coqueluche	Bactérie tuée
1927	Tétanos	Toxine atténuée du germe
1932	Fièvre jaune	Virus vivant atténué
1940	Grippe	Virus vivant atténué
1954	Poliomyélite (Vaccin de Salk)	Virus tué (injection)
1957	Poliomyélite (Vaccin de Sabin)	Virus vivant atténué (oral)
1960	Rougeole	Virus vivant atténué
1962	Rubéole	Virus vivant atténué
1966	Oreillons	Virus vivant atténué
1968	Méningite à méningocoques C	Partie de germe
1971	Méningite à méningocoques A	Partie de germe
1973	Varicelle	Virus vivant atténué
1976	Hépatite B	Premier vaccin, partie de virus
1978	Pneumocoque	Partie de germe
1985	*Hæmophilus influenzæ* B	Partie de germe
1987	Hépatite B	Antigène, génie génétique
1992	Hépatite A	Partie de virus
2000	Papillomavirus	Partie de virus

Les dates correspondant à chaque vaccin sont approximatives. Entre la mise au point de la première version du vaccin, les essais cliniques, la mise sur le marché et l'organisation de campagnes généralisées, il peut s'écouler de nombreuses années.

Actuellement plus de cinquante vaccins sont à l'étude. Nous verrons en fin d'ouvrage les domaines de ces recherches futuristes.

Les grandes épidémies comme la peste, le choléra, le typhus, la malaria, la lèpre, ont disparu sous nos latitudes sans recours aux vaccinations. Et, paradoxalement, les populations occidentales, aujourd'hui les moins exposées aux risques d'infections, sont les plus massivement et les plus précocement vaccinées.

Utilité des vaccinations

Dans notre société, il semble aller de soi que tous les vaccins proposés aujourd'hui sont nécessaires.

Avant de commercialiser un nouveau médicament, la rigueur scientifique exige une étude comparative entre malades traités et malades témoins non traités, ou traités autrement. Il est également indispensable de prouver que les personnes traitées bénéficient à long terme d'une meilleure santé que les témoins.

Or les vaccins échappent à ce genre d'étude. Par exemple, pour la vaccination contre le tétanos, on n'a jamais fait d'essai comparatif pour s'assurer que les personnes vaccinées étaient mieux protégées et en meilleure santé. Bien des facteurs autres que le vaccin peuvent expliquer la régression de cette maladie : l'amélioration générale de la santé de la population et l'augmentation de sa résistance aux infections, les progrès de l'hygiène, le traitement moderne des plaies, l'usage des antibiotiques.

En ce qui concerne la rougeole, le vaccin est efficace, mais on n'a pas comparé à long terme le devenir des vaccinés et des non vaccinés. Avec des études comparatives, on aurait pu savoir si les reproches faits à ce vaccin sont fondés ou non, et s'il est vrai qu'il augmenterait le risque d'autisme, d'allergie ou d'affection intestinale grave (maladie de Crohn). On n'a jamais comparé des populations recevant ou non le quadruple vaccin diphtérie-tétanos-polio-coqueluche pour savoir si le vaccin ne favoriserait pas la mort subite du nouveau-né.

L'utilité des vaccins est bien plus difficile à établir que celle des médicaments ordinaires. Il ne suffit pas de s'assurer de leur efficacité dans la prévention d'une maladie pour affirmer qu'ils sont utiles. Il faudrait aussi prouver que leurs effets secondaires, à long terme, ne sont pas plus graves que la maladie qu'ils sont censés éviter.

Quand un vaccin est-il justifié ?

L'utilité de chaque vaccin dépend de cinq facteurs :

1. **La gravité de la maladie**. Une maladie bénigne comme la varicelle ne justifie pas qu'on prenne le moindre risque de complication vaccinale.

2. **La fréquence de la maladie dans la population à vacciner**. Une maladie très rare n'autorise pas la prise d'un risque vaccinal, même minime, pour l'ensemble de la population. Vacciner massivement multiplie obligatoirement le nombre des victimes de complications.
3. **L'efficacité d'éventuels traitements**. Si une maladie est facile à diagnostiquer et à soigner – comme la tuberculose dans une population aisée bénéficiant d'une couverture sanitaire efficace – l'usage d'un vaccin est discutable.
4. **L'efficacité du vaccin.** En l'absence d'études comparatives, elle n'est pas toujours facile à prouver. Toutes les maladies infectieuses, même celles qui n'ont pas de vaccin, ayant diminué en fréquence ou en gravité au cours du vingtième siècle, il reste à prouver le rôle du vaccin dans cette décroissance.
5. **Les effets secondaires du vaccin.** Les médecins, auteurs de cet ouvrage, affirment que, selon leur expérience, les complications sont nettement plus fréquentes que ne le concèdent les statistiques officielles. Dans les grandes études, qui sont le plus souvent faites par les fabricants et publiées sous leur contrôle, on ne tient compte que des effets qui se manifestent dans les jours qui suivent l'injection alors que l'observation devrait être poursuivie pendant des années.

En résumé, on ne peut pas affirmer, *a priori*, qu'un vaccin est totalement bon ou absolument mauvais. Le choix de vacciner massivement une population dépend de la pondération de ces cinq facteurs, pour le vaccin et pour la population concernée. Il n'y aura jamais de solution définitivement parfaite et il faut être prêt à remettre continuellement en cause les opinions et les stratégies en matière vaccinale.

Les effets secondaires des vaccins

Trop de coïncidences

Quand un patient se plaint de problèmes survenus après un vaccin, les médecins ne le prennent généralement pas au sérieux et invoquent une coïncidence. Il n'a lui-même aucun moyen de faire part de ses doutes aux autorités sanitaires, car seuls les médecins ont le droit de notifier les effets secondaires des médicaments et des vaccins.

Les agences nationales chargées d'analyser les déclarations dépendent souvent des subsides des laboratoires pharmaceutiques. Par ailleurs, les spécialistes des statistiques médicales savent que les notifications d'effets secondaires ne représentent pas le dixième de la réalité et, selon les cas, pas même le centième. La décision d'appliquer largement un vaccin repose sur une sous-estimation notoire des risques d'effets secondaires.

Des réactions imprévisibles

Chaque personne réagit différemment aux contaminations infectieuses et aux vaccins. Dans certains cas, les vaccins, au lieu de renforcer la santé, peuvent favoriser des maladies.

En vaccinant des nourrissons, on impose une épreuve majeure à un système immunitaire immature. À six mois, le bébé aura déjà reçu, en France, dix-huit immunisations contre six maladies et, à dix-huit mois, il aura affronté vingt-huit immunisations contre dix maladies. Ce nombre ne cessera de croître si, comme cela semble prévu, les vaccins contre la varicelle, le pneumocoque ou le méningocoque sont ajoutés au programme.

En combinant les vaccins dans la même inoculation, on ne respecte pas l'exemple de la nature qui n'inflige au malade qu'une seule maladie infectieuse aiguë à la fois.

Des additifs et des impuretés

Pour fabriquer les vaccins, les germes sont transformés, combinés entre eux, additionnés de produits de conservation, de stimulants de la réaction immunitaire et pollués par des impuretés liées au mode de fabrication.

Afin d'éviter que les produits injectés soient neutralisés avant d'avoir pu agir sur le système immunitaire, on déjoue la nature en combinant, par exemple, un antigène peu enclin à se faire remarquer avec un antigène plus agressif. Pour la méningite à *Hæmophilus*, on utilise l'anatoxine tétanique.

On ajoute de l'aluminium comme « stimulant » de l'immunité (diphtérie, tétanos, coqueluche, polio, hépatites B et A). Ce métal est pourtant un toxique qui ne quittera plus l'organisme et que l'on soupçonne de favoriser des affections dégénératives comme la maladie d'Alzheimer et la myofasciite à macrophages, une affection qui se manifeste par des douleurs musculaires invalidantes.

Certains vaccins sont stabilisés avec des sels de mercure, toxiques pour le système nerveux et les reins.

Infections et allergies

Un système immunitaire affaibli est incapable d'éviter des infections à répétition, rhumes, sinusites, otites, bronchites, cystites, pyélites, etc. Typiquement, ce sont ces enfants complètement vaccinés qui passent l'hiver sous antibiotiques. D'après nos observations, les enfants peu vaccinés sont plus résistants.

Dans les pays industrialisés, la fréquence des allergies (asthme, eczéma, rhume « des foins ») affiche une croissance inquiétante, de plus de 10 % par année. C'est la plus fréquente des maladies chroniques de l'enfant. Une récente étude en France recense 30 % de maladies allergiques chez les 6-7 ans et 40 % chez les adolescents. Ce sont des maladies du système immunitaire, qui se déclarent parfois après une vaccination.

On ne peut purifier totalement les vaccins cultivés sur embryons de poulet. À la faveur de la réaction crée par l'aluminium, les particules d'œuf peuvent provoquer des allergies alimentaires à l'œuf.

On trouve du formol (formaldéhyde) dans certains vaccins. Grâce au coup de pouce de l'aluminium, la personne vaccinée peut devenir allergique à ce produit que l'on retrouve dans des matériaux de construction. Il est probable que l'aluminium favorise aussi des allergies aux antibiotiques utilisés pour la fabrication des vaccins à virus, et facilite toutes les allergies en général.

Sous le terme « atteintes minimes du cerveau », on désigne toutes sortes de troubles neurologiques, intellectuels ou psychiques, sans que soient mises en évidence des lésions du système nerveux. Vertiges, maladresse, lenteur intellectuelle, dyslexie, troubles du comportement, voire certains cas de délinquance et même d'autisme correspondant à des lésions invisibles pour la médecine, pourraient êtres dus à des traumatismes, des intoxications ou des vaccinations mal supportées. Dans notre pratique, l'amélioration fréquente de ces cas grâce au « drainage » homéopathique est une preuve de l'origine vaccinale de ces affections.

Cancer, sclérose en plaques et sida

Dans les maladies auto-immunes, le système immunitaire prend pour cible une substance vitale de l'organisme qu'il est censé défendre. Les maladies auto-immunes les plus connues sont la sclérose en plaques, la polyarthrite rhumatoïde et le diabète des jeunes. Elles peuvent également toucher la thyroïde, les glandes salivaires, l'intestin, la peau, les vaisseaux, les reins, le sang, etc. Les vaccinations peuvent favoriser de telles maladies.

Tous les jours, chez chacun de nous, se forment des cellules cancéreuses, mais l'organisme les élimine au fur et à mesure. Cependant, si le système immunitaire ne les reconnaît pas, un cancer se développe. La fréquence du cancer dans une population va de pair avec l'importance de sa couverture vaccinale. Plus les maladies infectieuses diminuent plus le nombre de cancers et d'allergies augmente.

De plus on cultive certains vaccins sur des lignées de cellules cancéreuses d'origine animale (par exemple, le Genhevac® ou Gen H-B-Vax® contre l'hépatite B), il reste des fragments de ces cellules qui peuvent pervertir le génome et favoriser le cancer aussi bien que les maladies auto-immunes.

Quand les vaccins inoculent des virus

Dans les années soixante, un virus du singe macaque a été transmis à des millions de personnes par le vaccin contre la poliomyélite. Ce virus a été retrouvé plus tard dans une forte proportion de tumeurs cérébrales humaines et autres cancers.

Une étude faite au début des années soixante-dix, a révélé que les cancers chez les enfants de moins de quatre ans étaient deux fois plus nombreux si la mère avait été vaccinée contre la poliomyélite pendant sa grossesse.

Le virus de la leucémie des poules a probablement été transmis à l'homme jusqu'en 1962 par les vaccins contre la rougeole, la grippe et la fièvre jaune, fabriqués sur des embryons de poulets. Ce virus est une cause avérée de cancer chez des mammifères de laboratoire.

Le rétrovirus du sida serait, à l'origine, un virus de singe modifié et adapté à l'homme. Des virus vaccinaux contre la polio ont été cultivés sur des cellules de singes qui abritaient ces rétrovirus. Selon l'hypothèse défendue par certains chercheurs, le sida aurait été transmis du singe à l'homme par des vaccins antipoliomyélitiques contaminés.

Ces considérations montrent que les vaccins sont imparfaits, comme tous les produits pharmaceutiques, et qu'ils ont des effets secondaires que leur mode d'action peut expliquer. Leur indication doit donc être le résultat d'une pondération bénéfice/risque qui, dans la pratique, est faussée par la surestimation de leur efficacité et la sous-estimation de la fréquence et de la gravité des complications.

L'exemple biaisé de la variole

Un modèle d'éradication ?

On dit que la variole a été « éradiquée », ce qui signifie littéralement « suppression des racines ». Ce terme représente la réalisation du plus bel idéal dont puissent rêver les médecins : la suppression définitive d'une maladie contagieuse sur l'ensemble de la planète. Les « racines » sont ici les réservoirs de virus présents dans la nature ; sans elles, la maladie ne peut plus réapparaître. L'éradication ne peut être envisagée que pour des maladies dont le germe n'existe pas en dehors de l'espèce humaine. Une maladie comme la rage ne peut être éradiquée, car elle touche en priorité des animaux sauvages sur lesquels nous n'avons pas de contrôle. Pas d'avantage que le tétanos dont les germes sont répandus partout dans le sol.

La variole, éradiquée depuis les années soixante-dix, n'est donc plus d'actualité, sauf dans les scénarios catastrophe d'une guerre bactériologique. Il vaut cependant la peine de se pencher sur le cas de cette maladie, car la réussite de cette élimination sert encore de modèle à d'autres projets d'éradication justifiant des campagnes massives de vaccination. Par extension, l'exemple de la variole est évoqué pour cautionner l'utilité des vaccinations en général.

Un vaccin efficace et sans danger ?

En réalité la disparition de la variole n'est pas due à la seule vaccination, et il est même peu probable que la vaccination ait joué un rôle décisif. Trois raisons plaident en faveur de cette hypothèse. Premièrement, comme d'autres maladies infectieuses, la variole a diminué au cours des deux derniers siècles grâce à l'amélioration des conditions de vie. Deuxièmement, plusieurs épidémies se sont déclarées dans des populations vaccinées à plus de 90 %, en Asie aussi bien qu'en Europe. Troisièmement, la décennie prévue pour l'élimination de la variole, ouverte par l'OMS en 1960 et fondée sur d'énormes campagnes de vaccination dans les zones d'endémie, s'est prolongée. Il aura fallu dix ans de plus, en donnant la priorité au dépistage et à l'isolement des malades, pour que l'éradication soit définitive.

La suppression de la variole est, sans aucun doute, une victoire historique de la politique sanitaire coordonnée par l'OMS à l'échelle de la planète, mais nous n'aurons jamais la preuve du rôle du vaccin dans cette disparition (absence d'étude comparant des personnes vaccinées et des témoins non vaccinés). Par contre, les effets secondaires de ce dernier n'ont jamais fait de doute, bien que leur fréquence réelle ait été officiellement sous-estimée. Le plus redoutable était l'encéphalite, une inflammation du cerveau qui se terminait, le plus souvent, par des séquelles neurologiques ou la mort. Les plus âgés des auteurs de cet ouvrage ont connu plusieurs personnes souffrant de lourds handicaps suite au vaccin contre la variole, reçu dans la petite enfance.

Il est certain qu'en vaccinant moins et d'une manière plus ciblée on aurait eu le même résultat avec moins de victimes. Il n'est pas impossible que le bilan de ce vaccin soit finalement négatif et que le dépistage et l'isolement auraient suffi à l'éradication de la variole.

Évolution des programmes de vaccination

Le programme de vaccination en cours pour nos enfants n'a pas toujours été aussi chargé. Dans les années cinquante, on ne vaccinait systématiquement que contre cinq maladies et en général pas avant un an : variole, diphtérie, tétanos, tuberculose et poliomyélite. Ces cinq maladies avaient en commun d'être présentes dans la mémoire collective, leur gravité était connue de tous et il n'était pas nécessaire de convaincre la population de se faire vacciner. Indépendamment de la question de l'efficacité des vaccins, il y avait une logique évidente à leur usage. Ces vaccins sont-ils encore utiles aujourd'hui ?

Par la suite, ont été introduits successivement quatre vaccins contre des maladies dites « d'enfance » jusque-là considérées comme bénignes : coqueluche, rougeole, oreillons et rubéole. Ces maladies contagieuses représentaient, aux yeux du public, des épreuves normales dont l'enfant sortait souvent « grandi » au propre comme au figuré. Il a fallu des campagnes médiatiques dans lesquelles les laboratoires ont mis tout leur poids, pour convaincre la population – et les médecins – que ces maladies seraient moins bénignes qu'on ne l'avait cru. Avec le recul que nous avons maintenant, que faut-il penser de la vaccination systématique contre ces maladies ?

D'autres vaccins proposés pour les enfants concernent des maladies rares, jusqu'ici ignorées du public, la méningite à *Hæmophilus* et l'hépatite B. La dernière tendance est d'ajouter la vaccination des enfants contre la varicelle et la grippe. Les campagnes médiatiques n'ont pas seulement mis l'accent sur la gravité possible de ces affections, mais elles ont réussi à convaincre la population que ces maladies nous menaçaient tous. Le risque qu'elles représentent est-il si grand qu'il justifie une vaccination généralisée de nos enfants ?

Vaccins de l'enfance

Vaccins combinés du nourrisson

Depuis quelques années, un plan uniforme de vaccination s'est généralisé, soit à deux, quatre et six mois, une injection contre la diphtérie, le tétanos, la polio, la coqueluche et la méningite à *Hæmophilus*, à quoi peut désormais s'ajouter dans la même seringue, le vaccin contre l'hépatite B. Et, pourtant, seules la coqueluche et la méningite à *Hæmophilus* peuvent contaminer – bien que rarement – les tout-petits ; l'hépatite B ne concerne, dans les pays du nord, que des adultes jeunes appartenant à des groupes à risques.

Les vaccins, noms de marque
Infanrix DTPo-IPV+Hib®, Pentavac® contre cinq maladies : diphtérie (D), tétanos (T), coqueluche (Po), poliomyélite (IPV), *Hæmophilus* (Hib).

Avec l'hépatite B en plus : Infanrix hexa®, Hexavac® (retiré fin 2005).

Diphtérie

La maladie
La diphtérie est une angine bactérienne dont la caractéristique est l'envahissement de la gorge par

un enduit grisâtre, qui peut se propager au larynx, déclenchant alors une toux asphyxiante appelée « croup ». (Le « faux croup » par contre, est une maladie bénigne due à un virus.)

La bactérie, confinée aux muqueuses des voies respiratoires supérieures, sécrète une toxine qui se répand dans tout l'organisme et provoque des paralysies musculaires pouvant aussi atteindre le muscle cardiaque.

La transmission s'effectue par contact direct avec la salive ou par l'intermédiaire de fines gouttelettes projetées par la toux.

Le vaccin

Nom de marque : N'est plus utilisé seul, mais associé avec celui du tétanos ou d'autres vaccins combinés du nourrisson (voir page 25).

Le vaccin n'est pas dirigé contre la bactérie, mais contre la toxine qu'elle sécrète. Il ne prévient donc pas l'infection, mais il est supposé en diminuer la gravité. Pour le vaccin, on utilise la toxine dont la virulence a été atténuée par la chaleur.

L'immunisation de base consiste en quatre injections dans les deux premières années, suivies d'un rappel tous les dix ans. Commencée après l'âge d'un an, la vaccination initiale ne comporte que trois injections.

Relevons que le vaccin destiné aux enfants jusqu'à 7 ans est vingt-cinq fois plus dosé que celui qui est utilisé au-delà de cet âge, y compris chez les adultes.

Ce que l'on ne vous dit généralement pas

Comme pour beaucoup de maladies épidémiques disparues spontanément sous nos latitudes, sans vaccination (peste, choléra, typhus...), la diphtérie avait déjà amorcé son déclin bien avant l'introduction de la vaccination. L'exemple de la Norvège est clair : ce pays a noté une régression de l'incidence et de la mortalité dues à cette maladie de plus de 99,5 % entre 1908 et 1939, période où la vaccination était peu pratiquée.

Rappelons que le vaccin dirigé contre la toxine diphtérique ne protège pas de l'infection et que, par conséquent, la disparition de cette maladie dans nos pays occidentaux ne peut être mise au bénéfice du vaccin. Selon l'aveu même de l'OMS : « ...la fréquence des nouveaux cas de diphtérie peut augmenter et diminuer indépendamment des programmes de vaccinations. »

L'efficacité de ce vaccin n'a jamais été prouvée.

Nos recommandations

S'il ne devait y avoir qu'un seul vaccin inutile dans le plan de vaccination officiel, ce serait bien celui-là.

Tétanos

La maladie

Le tétanos est dû à une bactérie que l'on retrouve dans la terre et les excréments d'animaux. Elle infecte l'homme au travers de plaies profondes telles les morsures ou les blessures par un clou.

Comme celui de la diphtérie, le bacille du tétanos sécrète une toxine. Celle-ci s'attaque au système nerveux provoquant des contractures musculaires douloureuses de la mâchoire, des voies respiratoires et des membres. La maladie peut entraîner la mort, mais la moitié des personnes atteintes guérit spontanément. Elle n'immunise pas, ce qui revient à dire qu'une deuxième infection est possible. La meilleure prévention est le nettoyage et la désinfection des plaies.

Dans les pays en voie de développement, les conditions d'hygiène précaires lors de l'accouchement peuvent provoquer le tétanos du nouveau-né par l'intermédiaire du cordon ombilical. Dans cette situation, la mortalité est importante.

Rappelons que le tétanos n'est pas une maladie contagieuse.

Le vaccin

Noms de marque : Anatoxal Te N®, Tetagam N®, Vaccin tétanique Pasteur®

Il est le plus souvent utilisé en association avec le vaccin de la diphtérie ou dans les combinaisons de vaccins pour les enfants (voir page 25).

Comme dans le cas de la diphtérie, le vaccin n'est pas dirigé contre la bactérie, mais contre la toxine qu'elle sécrète.

L'immunisation de base des programmes officiels consiste en quatre injections suivies de rappels à cinq ans, à la puberté, puis tous les dix ans.

Ce que l'on ne vous dit généralement pas
L'efficacité de ce vaccin est controversée. Si un malade guéri du tétanos n'est pas à l'abri d'une seconde infection, comment le vaccin pourrait-il être efficace ? De nombreuses études relatent des cas de tétanos chez des personnes immunisées possédant un taux d'anticorps considéré comme protecteur.

La répétition trop fréquente du vaccin lors de blessures rapprochées est inutile et augmente le risque d'effets secondaires.

Lors de la deuxième guerre mondiale, les cas de tétanos ont été sept fois moins nombreux dans l'armée grecque, non vaccinée, que dans l'armée française, la plus vaccinée des armées alliées.

En Chine, l'application de l'accouchement hygiénique grâce à la stratégie des « trois propretés » – des mains, du cordon ombilical et de la table d'accouchement – a permis une réduction de 90 % des décès dus au tétanos néonatal en 25 ans.

Nos recommandations
De nos jours, le tétanos reste une maladie grave bien que rare et touche avant tout les personnes âgées (environ une vingtaine de cas par année en France avec une moyenne d'âge de 75 ans). Malgré les doutes quant à l'efficacité de ce vaccin et au vu de la gravité de la maladie, la vaccination peut se justifier.

Le risque de tétanos est improbable avant que l'enfant ne commence à marcher ; aussi est-il préférable d'attendre l'âge d'un an avant de débuter cette vaccination, ce qui laissera aux systèmes immunitaire et neurologique de l'enfant le temps de se consolider. Un autre argument pour retarder cette vaccination est, comme pour la diphtérie, la diminution du nombre d'injections nécessaires après un an.

Coqueluche

La maladie

La coqueluche est une maladie bactérienne très contagieuse, transmise par des gouttelettes de salive expulsées lors de la toux. Elle se manifeste sous forme d'épidémies printanières survenant tous les 2 à 5 ans. Après incubation d'une à deux semaines, la première phase se manifeste par un rhume banal avec de la toux. Après 10 à 15 jours, la toux devient caractéristique avec des quintes violentes et suffocantes. Lorsque l'enfant reprend son souffle, il émet un son rauque caractéristique évoquant le chant du coq, ce qui a donné son nom à la maladie. Cette phase peut durer trois à quatre semaines, suivie par une toux tenace beaucoup moins dramatique.

Si cette maladie est impressionnante et pénible à vivre, elle n'est que rarement grave après l'âge de trois ou quatre mois.

Les vaccins

Noms de marque : voir les vaccins combinés (page 25).

Il s'agit d'un vaccin inactivé dit « acellulaire » ne contenant que des fragments du germe responsable.

Quatre injections, habituellement combinées aux autres vaccins du nouveau-né, sont nécessaires pour l'immunisation de base.

Ce que l'on ne vous dit généralement pas

Une protection relative n'apparaît qu'après la deuxième injection, soit après le quatrième mois, à un âge où le risque d'évolution grave n'existe quasiment plus.

Officiellement, les vaccins sont sûrs et efficaces. Mais lorsqu'apparaît sur le marché la nouvelle version d'un vaccin connu, l'ancien est accusé de tous les défauts possibles justifiant ainsi la commercialisation d'un produit généralement plus cher. L'ancien vaccin contre la coqueluche (à cellules entières) a été fortement incriminé dans des affections neurologiques (convulsions fébriles, épilepsies, encéphalites…) ainsi que dans la mort subite du nourrisson. Au Japon, on a trouvé une corrélation entre la diminution des morts subites et le report après deux ans de l'âge de la première vaccination contre la coqueluche.

Si ce nouveau vaccin semble effectivement provoquer moins d'effets secondaires graves, plusieurs études montrent que son efficacité est inférieure à celle de l'ancien vaccin. Aucun des deux n'a pu éviter la réapparition de la coqueluche dans des pays où la couverture vaccinale atteignait pourtant 96 %.

Nos recommandations

Cette maladie est bénigne dans l'immense majorité des cas et ne justifie pas, à notre avis, un vaccin à l'efficacité incertaine et aux effets secondaires bien établis.

Poliomyélite

La maladie

Le virus se transmet par l'eau de boisson ou des aliments contaminés par des selles. L'infection est asymptomatique dans l'immense majorité des cas, elle se signale parfois par une gastro-entérite banale. Dans moins de 1 % des cas, elle se manifeste sous sa forme dramatique, soit une paralysie des membres inférieurs ou des muscles respiratoires. La paralysie de la respiration est la cause presque unique de mortalité de cette maladie et représente environ 2 à 10 % des formes paralytiques.

En juin 2002, l'OMS a confirmé l'éradication de la polio en Europe et dans les Amériques. Les quelques rares cas déclarés ces deux ou trois dernières décennies étaient consécutifs au vaccin oral à virus vivant, et non au virus sauvage. C'est la raison pour laquelle, dans nos pays, le vaccin oral est remplacé par la forme injectable.

Les vaccins

Il en existe deux qui diffèrent par leur nature et leur efficacité.

Le vaccin de Sabin utilise un virus vivant, mais atténué, qui s'administre par voie orale, imitant la voie naturelle de la contamination. Le virus se retrouve dans les selles et contamine l'entourage, il est contagieux ce qui améliore sensiblement l'efficacité des campagnes. Lors de son passage dans l'intestin, il peut aussi, en se recombiner à d'autres virus digestifs inoffensifs, retrouver sa virulence et provoquer des petites épidémies de polio.

Le vaccin inactivé de Salk, constitué de virus tués et administré par injection, est moins dangereux, mais aussi moins efficace.

Noms de marque : Salk : Poliorix®, Imovax polio®. Également dans les vaccins combinés des enfants (voir page 25). Sabin : Vaccin polio oral, pas de marque.

Ce que l'on ne vous dit généralement pas

Le vaccin contre la polio est à l'origine de l'une des plus grandes bavures de l'histoire des vaccins. La présence d'un virus du singe, appelé SV40, provenant du milieu de culture des virus de la polio, a contaminé des millions d'enfants entre les années 1954 et 1963. Or, ce SV40, d'abord considéré comme inoffensif, s'est révélé responsable de nombreux cancers apparus plusieurs années après. Il est aussi possible que le sida soit passé du singe à l'homme par la même voie.

Comme pour d'autres maladies épidémiques, les conditions d'hygiène et le niveau de vie sont des éléments essentiels dans la régression de la polio. La décroissance des nouveaux cas de polio s'est amorcée bien avant la vaccination de la population.

Nos recommandations

La disparition de cette maladie en Europe ne justifie plus une vaccination systématique. Pour les personnes se rendant dans un pays d'endémie (Indes, Pakistan, Niger, Nigeria), seul le vaccin injectable est indiqué.

Hæmophilus (Hib)

La maladie

L'*Hæmophilus influenzæ* de type B est une bactérie courante qui ne provoque souvent aucun symptôme et une personne sur vingt-cinq en héberge, sans problème, dans les muqueuses de son nez et de sa gorge. Mais, à l'occasion d'un affaiblissement de l'état général, cette bactérie peut engendrer otite, sinusite, bronchite ou pneumonie. Dans de rares cas, des complications plus sérieuses peuvent survenir, surtout chez l'enfant avant 5 ans ; il s'agit d'une part de la méningite et d'autre part d'une inflammation du larynx (épiglottite) provoquant fièvre, maux de gorge et suffocation. Toutes ces affections peuvent être traitées par des antibiotiques.

Le vaccin

Noms de marque : Hibérix®, ACT-HIB® et les vaccins combinés (cités page 25).

Il s'agit d'un vaccin inactivé dont le matériel provient de la capsule de la bactérie. L'immunisation complète requiert quatre injections si l'on commence le vaccin à deux mois. Après 4 mois deux injections suffisent et une seule est nécessaire après 15 mois.

Ce vaccin ne protège pas contre les autres formes de méningites bactériennes, ni bien sûr contre les méningites virales, mais uniquement contre celles qui sont dues à l'*Hæmophilus* du groupe B, soit environ 1 % de l'ensemble des méningites.

Ce que l'on ne vous dit généralement pas

L'utilité du vaccin est limitée, car les complications graves sont rares et le bénéfice de la diminution des méningites à *Hæmophilus* est annulé par l'augmentation des méningites à méningocoques et à pneumocoques. De plus, la vaccination contre l'*Hæmophilus* de type B favorise une sélection des germes et l'on voit apparaître des méningites à *Hæmophilus* de type F et E sur lesquelles le vaccin n'a aucune action. Le nombre total de méningites bactériennes n'a donc pas été diminué par ce vaccin.

Si la vaccination diminue la virulence des bactéries, elle n'empêche pas celles-ci de coloniser les muqueuses du nez et de la gorge de la personne vaccinée. Ceci explique le retour d'infections sévères à *Hæmophilus* dans des pays où la couverture vaccinale reste pourtant très élevée.

Enfin, certaines études suggèrent un lien entre cette vaccination et l'augmentation de diabète chez le jeune enfant.

Nos recommandations

La décision d'une vaccination contre l'*Hæmophilus* doit tenir compte de facteurs individuels tel l'allaitement du nourrisson qui s'est révélé être un facteur de protection important contre cette infection. D'autre part, la fréquentation précoce d'une crèche augmente légèrement les risques qui restent toutefois faibles, cette affection n'étant pratiquement pas contagieuse.

Si vous décidez de vacciner votre enfant, nous proposons de ne pas le faire avant 4 mois, et si possible pas avant un an, afin de réduire le nombre d'injections.

Nos recommandations concernant les vaccins du nouveau-né

D'une façon générale, on vaccine trop, trop tôt et trop à la fois. Nous suggérons donc, dans la mesure du possible de :

– retarder l'âge de la première vaccination (vers 10-12 mois au plus tôt) ;
– renoncer, quand cela est possible, à certains vaccins : diphtérie, hépatite B, par exemple et de peser l'intérêt des vaccins contre la polio, la coqueluche et la méningite à *Hæmophilus* ;

– ne pas associer plus de deux ou trois vaccins dans une seule et même seringue.

Un obstacle à la limitation du nombre des vaccinations : les combinaisons simples, tétanos-polio, tétanos-diphtérie ou tétanos-diphtérie-polio pour les petits, sont souvent en rupture de stock. En France, on peut se prévaloir de cette carence pour différer les premières vaccinations, car le médecin ne peut contraindre les parents à accepter un vaccin combiné contenant des vaccins non obligatoires.

Vaccins des maladies d'enfance

Rougeole, oreillons, rubéole ou encore varicelle, autant de mots qui, pour les plus de trente ans, évoquent le souvenir d'une semaine passée à la maison avec de la fièvre, des douleurs, des démangeaisons ; mais aussi le plaisir de pouvoir rester au lit alors que les copains partent à l'école, le bonheur d'être l'attention de sa famille.

Ces affections étaient des étapes normales de l'enfance et personne ne s'en inquiétait ; à juste titre puisque le corps médical, lui-même, considérait ces maladies comme parfaitement bénignes.

Ce discours rassurant et plein de bon sens changea radicalement dans les années quatre-vingt, quand arriva sur le marché le vaccin combiné Rougeole-Oreillons-Rubéole (R.O.R.). À croire que la commercialisation d'un nouveau vaccin décuplerait la dangerosité de la maladie qu'il est censé éviter !

Le R.O.R. est inclus dans le plan de vaccination de routine, avec initialement une injection unique à deux ans censée immuniser à vie. Un des effets de cette politique vaccinale est le déplacement de ces maladies d'enfance vers les adolescents et les adultes, mais aussi vers les nourrissons auxquels les mères, vaccinées dans leur petite enfance, ne transmettent plus les anticorps protecteurs. Dans ces classes d'âge, les complications sont plus fréquentes, ce qui a poussé les autorités à avancer et intensifier la vaccination aboutissant au schéma vaccinal actuel, soit une première injection à 12 mois suivie d'un rappel entre 15 et 24 mois. Il n'est pas certain que l'immunité soit ainsi garantie à vie.

La coqueluche, dont nous avons déjà parlé avec les vaccins du nouveau-né, est aussi une maladie d'enfance.

Noms de marque du vaccin R.O.R. combiné
M-M-R II®, Priorix®, R.O.R. Vax®, Trivirix®, Triviraten®.

Rougeole

La maladie
Comme la rubéole et les oreillons, la rougeole est due à un virus qui se transmet par la salive.

Les premiers symptômes apparaissent dix à quinze jours après un contact. Une fièvre, souvent élevée, précède une éruption sous forme de plaques rouges sur le visage s'étendant par la suite à l'ensemble du corps. Ces symptômes sont toujours accompagnés d'une toux et d'une conjonctivite. Après environ quatre ou cinq jours, l'éruption s'atténue et la fièvre diminue. Pneumonie ou otite sont des complications possibles. Les complications graves (encéphalites) sont rares et les chiffres avancés par les instances officielles sont, volontairement, alarmistes. Ces chiffres sont en effet peu crédibles, car la rougeole n'était pas une maladie à déclaration obligatoire. Dans nos pays industrialisés, la mortalité est très rare et touche des enfants dont les défenses sont affaiblies. Dans les pays en voie de développement, par contre, la mortalité peut dépasser les 10 %, en raison d'une mauvaise santé immunitaire liée à la malnutrition, mais aussi à la présence d'autres maladies infectieuses, notamment la tuberculose.

Avant la vaccination systématique, la rougeole conférait une immunité permanente, ce qui expliquait sa fréquence dans l'enfance et sa rareté chez l'adulte.

Le vaccin

Noms de marque : Attenuvax®, Moraten®, Rouvax®.

Il s'agit d'un vaccin à virus vivants atténués, généralement associé aux vaccins des oreillons et de la rubéole dans le R.O.R.

Les virus de la rougeole (et des oreillons) sont cultivés sur des cellules d'embryons de poulet et, de ce fait, pourraient contenir des virus de poule. On dispose, en outre, d'indices laissant supposer la présence de virus des leucémies aviaires dont les risques pour la santé de l'être humain ne sont pas connus.

Ce que l'on ne vous dit généralement pas

La vaccination a permis une régression de la fréquence de cette maladie, mais en contrepartie, les cas sont devenus plus graves, car ils concernent désormais des catégories d'âges où les complications sont plus importantes (adolescents, adultes, nouveau-nés).

Parmi les personnes vaccinées, 5 à 10 % d'entre elles ne développent pas une protection suffisante, ce qui rend illusoire toute volonté d'éradication de cette maladie.

Mais il y a plus grave : en mars 2001, le très sérieux *British Medical Journal* relatait que des scientifiques indiens avaient averti que l'Inde pourrait être le témoin de l'émergence d'un virus mutant de la rougeole, hautement virulent, sur lequel le vaccin est inefficace. Une fois de plus, à vouloir éliminer du globe un organisme, on en sélectionne des formes résistantes et l'histoire des antibiotiques pourrait bien se répéter avec les vaccins.

Plusieurs études démontrent que l'absence d'éruption rougeoleuse (comme dans le cadre de la vaccination) augmenterait le risque de maladies de l'immunité (allergies par exemple) et de certaines tumeurs.

Le lien entre le vaccin de la rougeole et des maladies inflammatoires du tube digestif (maladie de Crohn, colite ulcéreuse) ainsi que le risque d'autisme suite au vaccin sont fortement débattus dans la littérature scientifique et la question n'est à ce jour pas résolue.

Nos recommandations

Afin d'en être protégés toute leur vie, laissons à nos enfants la chance de faire cette maladie naturellement à l'âge où elle est bénigne. Malheureusement, la chance de rencontrer le virus est de plus en plus rare. À la puberté, le vaccin peut se justifier si l'adolescent n'a pas les anticorps protecteurs.

Oreillons

La maladie

Notons d'abord que cette maladie n'a aucun rapport avec les oreilles (comme son nom pourrait le faire penser), mais touche les parotides (glandes salivaires situées en avant des oreilles). Elle est transmise par un virus présent dans la salive et se manifeste par de la fièvre et un gonflement douloureux des glandes salivaires. Dans près d'un tiers des cas toutefois, la personne infectée ne développe aucun symptôme. Les complications possibles, rares chez l'enfant, peuvent être une méningite virale (bénigne), une inflammation du pancréas, des ovaires ou des testicules. Cette dernière complication est très rare avant la puberté.

Le vaccin

Nom de marque : Mumpsvax®

Il s'agit d'un vaccin à virus vivant atténué. Il se trouve le plus souvent associé aux vaccins de la rougeole et de la rubéole (R.O.R.).

Le virus des oreillons (comme celui de la rougeole) est cultivé sur des cellules d'embryons de poules, d'où la présence possible de virus des leucémies aviaires.

Ce que l'on ne vous dit généralement pas

Pour justifier ce vaccin, on met en avant les risques de méningites et de stérilité liés au virus des oreillons. En réalité, si l'une des complications est effectivement une inflammation des méninges (provoquant d'intenses maux de tête), celle-ci est virale et donc bénigne ne nécessitant qu'un traitement contre la douleur.

Quant à l'inflammation douloureuse des testicules, ne touchant le plus souvent qu'un seul côté, elle ne mène qu'exceptionnellement à la destruction de la glande. Ces complications sont moins rares et plus sévères à l'âge adulte que dans l'enfance.

Nos recommandations

L'efficacité très relative de ce vaccin destiné à prévenir une maladie bénigne le rend inutile chez l'enfant, alors que la maladie naturelle offre une excellente immunité. Si l'adolescent n'a pas acquis les anticorps naturels, l'indication à la vaccination peut être alors envisagée.

Rubéole

La maladie

Deux à trois semaines après transmission du virus par la salive, la maladie se manifeste par la tuméfaction douloureuse de nombreux ganglions de la nuque, accompagnée d'un peu de fièvre et d'une éruption discrète de taches rosées débutant au visage et s'étendant ensuite au tronc et aux extrémités. Cette éruption disparaît après trois jours.

Les complications sont rares et bénignes chez l'enfant, plus fréquentes chez l'adulte (inflammations articulaires notamment).

La rubéole est donc une maladie généralement bénigne, passant parfois même inaperçue. Cependant, survenant chez la femme enceinte au cours des trois premiers mois elle peut provoquer des malformations du fœtus.

Le vaccin

Noms de marque : Meruvax®, Rubeaten®, Rudivax®

Il s'agit d'un vaccin à virus vivants atténués associé, le plus souvent, aux vaccins de la rougeole et des oreillons (R.O.R.). La protection des fœtus est donc la raison de cette vaccination. Mais on y a ajouté un deuxième objectif, beaucoup plus aléatoire, celui d'éradiquer la maladie. C'est ainsi que les autorités sanitaires prétendent justifier la vaccination des garçons.

Ce que l'on ne vous dit généralement pas

Avant la vaccination systématique des petits enfants, 90 % des femmes en âge de procréer étaient naturellement immunisées et l'on ne vaccinait que les adolescentes.

De nos jours, l'immunité vaccinale ayant supplanté l'immunité naturelle durable, des rappels s'avèrent nécessaires. Après une première injection à l'âge de 12 mois, une deuxième est devenue impérative dans la petite enfance. Faudra-t-il attendre une recrudescence de malformations fœtales pour réaliser que la protection offerte par le vaccin est de moindre qualité que l'immunité conférée par la maladie ? Ou l'industrie pharmaceutique anticipera-t-elle ce qui apparaît inéluctable, en incitant nos autorités sanitaires à proposer des rappels toujours plus fréquents ?

Ajoutons que le vaccin n'est pas totalement anodin, des troubles articulaires et neurologiques ont été décrits.

Nos recommandations

Si la vaccination des petits enfants est un nonsens, celle des jeunes filles à la puberté se justifie pleinement, pour autant qu'elles ne possèdent pas une immunité acquise naturellement. La maladie pouvant passer inaperçue, une prise de sang est nécessaire pour s'assurer de la présence des anticorps protecteurs.

Varicelle

La maladie

La varicelle, causée par un virus de la famille des herpès, est la plus contagieuse des maladies d'enfance. Comme les autres, elle est transmise au travers de fines gouttelettes de salive, mais également par contact direct des lésions vésiculeuses de la peau.

Après une incubation d'environ deux semaines, la maladie se manifeste par l'apparition de petites vésicules sur le tronc s'étendant rapidement à la tête, aux membres ainsi qu'aux muqueuses (bouche, vagin). Cette éruption est généralement accompagnée d'une fièvre modérée et d'intenses démangeaisons. De nouvelles vésicules peuvent survenir pendant une petite semaine et finissent par sécher en formant une croûte. Par la suite, le virus ne s'élimine pas, mais reste « dormant » dans les ganglions nerveux et peut se réactiver plusieurs années ou décennies après sous forme de zona.

Cette maladie a toujours été considérée par le corps médical comme la « maladie bénigne par excellence ». Les complications sont extrêmement rares chez l'enfant et touchent uniquement ceux dont l'immunité est altérée par une affection grave (leucémie, cancer, maladies rénales chroniques…) ou un traitement (cortisone par exemple, ou médicaments antirejet dans les greffes d'organe).

Le vaccin

Noms de marque : Varilrix®, Varivax®

Il s'agit d'un vaccin vivant atténué. Chez les enfants jusqu'à 12 ans, une seule dose suffit. Dès 13 ans ou plus, deux doses sont nécessaires.

Ce que l'on ne vous dit généralement pas

L'efficacité de ce vaccin n'est que d'environ 70 % et diminue rapidement après 3 ans.

Il n'existe aucun autre vaccin contenant autant de matériel génétique résiduel (2 microgrammes par dose) provenant des divers milieux de culture successifs nécessaires à la préparation du produit final. Les conséquences à long terme (mutations génétiques, développement de maladie auto-immune) ne sont pas connues.

La transmission du virus vaccinal (qui est un virus vivant) d'une personne vaccinée à une personne non vaccinée a été observée.

Comme cela s'est produit pour la rougeole, la vaccination des petits enfants va déplacer cette maladie vers des classes d'âges inhabituelles (adultes notamment) où les complications sont beaucoup plus fréquentes.

Par ailleurs, il est prouvé que les adultes ayant eu la varicelle quand ils étaient enfants, ont moins de risque d'avoir un zona s'ils sont à nouveau en contact avec le virus à l'occasion d'une épidémie infantile.

De récentes recherches semblent montrer que l'infection naturelle par le virus de la varicelle est un facteur protecteur contre le développement de tumeurs cérébrales.

Nos recommandations

Jusqu'à présent, la vaccination était réservée à des groupes à risque bien spécifiques (personnes atteintes d'immunodéficience). Actuellement, des voix s'élèvent, de manière de plus en plus insistante, pour étendre cette vaccination ; et la toute récente homologation aux États-Unis d'un vaccin combinant le R.O.R. et la varicelle (Proquad®) va en être le catalyseur.

Chez les enfants, la varicelle est une maladie des plus bénignes qui ne justifie pas une vaccination de routine.

Nos recommandations concernant les maladies d'enfance

Une immunité solide et durable, conférée dans l'enfance par la maladie, n'est-elle pas préférable à une vaccination dont la durée du pouvoir protecteur est aléatoire, nécessitant des rappels toujours plus fréquents ? Afin d'en être protégé toute leur vie, laissons à nos enfants la chance de faire ces maladies à l'âge où les risques sont faibles.

Pour les maladies couvertes par le R.O.R., la vaccination peut se justifier à la puberté pour ceux qui n'auraient pas eu la chance d'entrer en contact avec les virus naturels. Malheureusement, la vaccination systématique des petits rend ce contact de plus en plus improbable. Dans le doute, il est utile de vérifier, par une analyse de sang, l'immunité pour ces trois maladies. Le cas échéant, il semble indiqué de vacciner contre une de ces maladies ou les trois. Si l'adolescent n'est pas immunisé contre deux maladies, il faut donner le triple vaccin pour éviter les injections multiples qui augmenteraient la quantité d'additifs indésirables.

Pour la varicelle, les risques du vaccin dépassent largement les risques de la maladie, raison pour laquelle nous recommandons de refuser ce vaccin. En Suisse, ce vaccin est désormais proposé dès l'âge de dix ans. Cette stratégie ne vise plus à l'éradication du virus, elle tient peut-être compte de l'expérience négative faite avec l'application trop précoce du vaccin de la rougeole.

Deux autres vaccins de l'enfance

Tuberculose

La maladie

C'est une maladie liée à la malnutrition et à la promiscuité. Au niveau planétaire, c'est une des maladies infectieuses les plus meurtrières, après la malaria et le sida.

Dans les pays de l'hémisphère nord, sa fréquence était encore élevée au début du vingtième siècle, mais, grâce à l'amélioration des conditions de vie, elle ne représente plus un problème de santé publique. La maladie se cantonne à des populations marginales : toxicomanes, alcooliques, sidéens, immigrés des pays du sud ou de l'est.

Dans les pays où la tuberculose est encore fréquente, la plupart des enfants sont touchés sous la forme d'une infection pulmonaire localisée qui guérit le plus souvent spontanément. Les germes restent à l'état latent dans la lésion pulmonaire. Mais, si l'organisme s'affaiblit, ils peuvent se disséminer dans l'ensemble des poumons, dans le système urinaire, le squelette ou dans le système nerveux. En l'absence de traitement, la maladie peut évoluer vers la chronicité, l'affaiblissement et la mort.

Il existe des antibiotiques spécifiques, mais les germes deviennent de plus en plus résistants.

Le vaccin

Noms de marque : Vaccin B.C.G. SSI®, Vaccin B.C.G. Mérieux®

On a renoncé à son usage dans la plupart des pays, sauf en France où il est obligatoire avant l'entrée en collectivité.

B.C.G.® est l'abréviation de bacille « bilié de Calmette et Guérin », du nom des inventeurs de ce vaccin. Il est constitué du germe vivant de la tuberculose de la vache, dont la virulence a été atténuée.

Il est inoculé seul et laisse une cicatrice comme le vaccin de la variole. Il peut être appliqué dès la naissance, et la coutume veut qu'on vérifie son efficacité par la « cuti-réaction » ou « test de Mantoux », c'est-à-dire l'injection d'un extrait du germe dans la peau, qui provoque une inflammation locale s'il est positif.

Ce qu'on ne vous dit généralement pas

Ce vaccin a d'emblée été contesté par une partie du corps médical. Une grande étude comparative effectuée en Inde vers 1968 n'a démontré aucun effet protecteur.

Les effets secondaires du vaccin sont variés à l'extrême, allant de l'infection chronique du lieu de l'inoculation à des infections généralisées, éventuellement mortelles. Il favorise la survenue des infections ORL, pulmonaires ou urinaires, l'asthme ou une baisse d'énergie pouvant aller jusqu'à la dépression.

La plupart des spécialistes reconnaissent aujourd'hui que ce vaccin n'est pas efficace et que la cuti-réaction n'est pas la preuve d'une protection.

La tuberculose a commencé à régresser en Europe de l'Ouest bien avant l'introduction du vaccin qui n'a pas modifié cette décroissance. Au contraire, à la fin de la deuxième guerre mondiale la fréquence de la maladie était pratiquement la même en France et aux Pays-Bas. Alors que ce dernier pays n'a pas eu recours au vaccin, la mortalité actuelle par tuberculose y est la plus basse d'Europe avec un taux dix fois inférieur à celui de la France.

Nos recommandations

Les personnes exposées à cette maladie, immigrés et immunodéprimés en priorité, doivent être soumises à une surveillance adéquate afin de recevoir un traitement à la première alerte. Quant au B.C.G.®, il n'a pas sa raison d'être. Depuis peu, et après de nombreuses démarches de médecins et de politiciens, l'obligation a enfin été levée pour le B.C.G.®. Comme pour la variole, la lourdeur administrative associée à l'intangibilité des vaccins font de la France le dernier pays occidental à avoir renoncé à cette vaccination dont l'utilité a toujours été contestée. Combien d'enfants vaccinés n'ont-ils pas été fragilisés dans leurs défenses immunitaires par la faute d'un règlement obsolète ?

Hépatite B

La maladie

« Hépatite » signifie « inflammation du foie ». Il existe plusieurs sortes d'hépatites infectieuses dues à des virus. L'hépatite A se répand par l'eau souillée et les aliments, elle est bénigne et son vaccin est évoqué dans le chapitre des voyages (page 74).

L'hépatite B se transmet, comme le sida, par le sang et les contacts sexuels. L'usage de seringues souillées explique la fréquence de la maladie chez les toxicomanes. La majorité des personnes infectées s'immunise sans présenter de symptômes.

Seul un tiers environ des cas présente une jaunisse accompagnée d'un état grippal qui peut être suivi d'un épuisement prolongé, mais 92 % des hépatites B guérissent spontanément. Parmi les individus contaminés, 5 % seront des porteurs chroniques sains et seuls 3 % évolueront de manière active (hépatites chroniques agressives). Un tiers de ces cas développera une cirrhose (soit un cas sur cent hépatites B). Un tiers des cirrhoses donnera lieu à un cancer (soit un cas sur trois cents hépatites B).

Donc, dans la très grande majorité des cas, l'hépatite B est une maladie bénigne.

De plus elle ne touche que les groupes à risque, c'est-à-dire les toxicomanes, les homosexuels masculins, les prostituées, les touristes du sexe, les polytransfusés, le personnel médical en contact avec le sang et les enfants nés d'une mère porteuse du virus.

Il existe un traitement, encore expérimental, des formes chroniques par l'interféron, mais on ne peut toujours pas garantir son efficacité à long terme. Malheureusement ni son coût ni ses effets secondaires ne sont négligeables.

Le vaccin

Noms de marque : Heprecomb®, Engerix B®, Gen HB-Vax®, Engerix B®, HBVAXPRO®

En combinaison : avec l'hépatite A : Twinrix® ; avec la diphtérie, le tétanos, la poliomyélite, la coqueluche, l'*Hæmophilus* : Infanrix hexa®, Hexavac® (retiré du marché fin 2005).

Le vaccin peut se pratiquer à tous les âges, à la naissance ou dès deux mois, en combinaison avec l'association diphtérie-tétanos-polio-coqueluche-*Hæmophilus*. Cette dernière formule est aujourd'hui recommandée en France après l'interruption des vaccinations des adolescents. En Suisse, on propose officiellement la vaccination des 13-14 ans, car le risque de contamination ne commence qu'après 16 ans pour être maximum vers 25 ans.

Ce qu'on ne vous dit généralement pas

Les statistiques publiées pour lancer la campagne en France ont été inventées de toutes pièces. Il n'existait pas, en fait, de statistiques, car il n'y avait pas d'obligation de déclarer cette maladie – considérée jusque-là comme un problème mineur. Les recoupements effectués avec d'autres enquêtes démontrent que les chiffres publiés avaient été fortement exagérés.

En réalité, pour la France, il est vraisemblable que le nombre de cirrhoses dues au virus de l'hépatite B devait être de l'ordre de vingt-cinq par an, contre près de neuf mille dues à l'alcoolisme. La fréquence de la maladie est très faible et, en dehors des groupes exposés, le risque de contamination dans la population française est de l'ordre d'un cas sur cinquante millions !

Le vaccin a la capacité de provoquer des maladies auto-immunes chez des personnes prédisposées : maladies neurologiques invalidantes comme la sclérose en plaques, maladies de la thyroïde, des articulations, des reins, de la peau, des muscles, du système cardio-vasculaire. Il peut déclencher un diabète juvénile ou une leucémie. À la suite de l'introduction massive du vaccin en France, quatre mille personnes, se disant victimes d'une de ces maladies, se sont constituées en association (REVAHB, voir page 92).

La campagne française de vaccination dans les écoles en 1995 a été initiée par les laboratoires pharmaceutiques SMK qui, les premiers, ont mis au point un vaccin destiné aux enfants. Plusieurs enquêtes journalistiques accablantes ont été publiées sur les abus de la campagne, fondée sur le cousinage, la corruption, mais aussi sur la naïveté de personnes bien intentionnées.

Un document interne de Pasteur-Mérieux, autre fabricant de ce vaccin, affirmait que : « Sur le marché de la vaccination, les adolescents sont un segment très porteur… Il faut dramatiser… Faire peur avec la maladie… »

Des procès ont été intentés, et parfois gagnés par des victimes, des expertises ont admis la causalité vaccinale de maladies graves, mais rien n'arrête le rouleau compresseur de cette erreur médicale collective.

À côté de toutes les informations omises, il faudrait aussi faire l'inventaire de tous les mensonges publiés officiellement et repris à leur compte par des responsables, des enseignants, des éducateurs ou des parents pleins de bonne volonté : « L'hépatite est une menace de tous les jours pour les jeunes, la contamination peut se faire par la salive du baiser, l'échange de brosse à dents, le piercing, les tatouages, l'acupuncture… » Or rien n'est plus faux, et ceux qui ont diffusé ces mensonges seraient en peine d'en fournir les preuves. La palme du mensonge revient à ce prospectus publié par un laboratoire qui affirmait sans rire que « l'hépatite B tue plus de personnes en un jour que le sida en un an ».

Nos recommandations

Pour l'ensemble de la population des pays d'Europe de l'Ouest, d'Amérique du Nord et d'Australie, en dehors des groupes exposés, le risque d'attraper l'hépatite B est beaucoup plus faible que celui de faire une complication post-vaccinale.

Une seule consigne : ce vaccin est à réserver exclusivement aux toxicomanes par injection, aux personnes changeant souvent de partenaire sexuel et en particulier les prostituées et certains homosexuels masculins. Quant aux enfants, seuls les nouveau-nés de mère porteuse du virus devraient recevoir le vaccin.

Les méningites

Le terme « méningite » désigne l'inflammation des enveloppes du cerveau (méninges), qui peut être due à différents agents infectieux. Dans la grande majorité des cas, l'origine est virale, l'infection est alors bénigne et guérit spontanément en quelques jours. Lorsque l'origine est bactérienne, la maladie est sérieuse et son pronostic est fonction de la précocité du diagnostic et de l'introduction du traitement antibiotique.

La méningite se traduit généralement par de la fièvre, de violents maux de tête, des vomissements et une raideur de la nuque. On peut trouver d'autres symptômes comme une somnolence excessive, des convulsions, une désorientation ou un coma.

Les méningites bactériennes sont principalement dues à trois germes : l'*Hæmophilus influenzæ* de type B (Hib), le pneumocoque et le méningocoque, pour lesquels un vaccin existe. Seul le premier est proposé systématiquement dans le « cocktail » injecté aux nouveau-nés. En ce qui concerne les deux autres, des pressions existent pour les introduire dans le programme de routine.

On peut ajouter à ce chapitre l'encéphalite à tiques contre laquelle il est proposé un nouveau vaccin. « Encéphalite » signifie inflammation du cerveau. Mais dans la pratique, la différence avec la méningite n'est pas toujours évidente.

Hæmophilus (Hib)

Ce vaccin a déjà été décrit dans le chapitre des vaccins combinés du nouveau-né.

Rappelons que la bactérie est très répandue et vit, la plupart du temps, en parfaite harmonie avec l'homme. Les complications graves qu'elle peut engendrer sont rares et le bénéfice du vaccin s'en trouve donc diminué.

Méningocoque

La maladie

Le germe responsable de la méningite à méningocoque est une bactérie assez répandue dans la population puisque 10 à 15 % des individus sont des porteurs sains (sans symptômes), le germe se logeant dans la gorge et l'arrière nez. En dehors de quelques rares infections respiratoires ou génito-urinaires, le méningocoque est principalement responsable de méningites et de septicémies (infections généralisées).

Selon leur structure, treize types de germes ont été décrits, mais dans nos pays occidentaux, ce sont principalement les types B et C qui sont en cause.

Chez nous, les infections à méningocoques touchent surtout les enfants de moins de 5 ans et les adolescents. Les pics de fréquence annuels se situent en hiver et au début du printemps.

Le traitement classique est une antibiothérapie qui doit être commencée le plus tôt possible.

Le vaccin

Noms de marque : Mencevax ACWY®, Meningitec®, Menjugate®, NeisVac-C®, Vaccin méningococcique A+C®.

Il n'existe pas de vaccin contre le méningocoque du groupe B à l'origine des deux tiers des méningites sous nos latitudes. Le vaccin actuellement sur le marché comprend un antigène du méningocoque C associé à une protéine de la toxine diphtérique.

Une seule injection suffit, sauf chez les nourrissons entre 2 et 12 mois chez qui trois doses sont nécessaires.

On ne connaît pas la durée de protection.

Ce que l'on ne vous dit généralement pas

En Angleterre, ce nouveau vaccin, utilisé depuis 1999, a permis une diminution importante des méningites de type C, mais parallèlement les méningites de type B ont augmenté. Donc la fréquence des méningites à méningocoque est restée constante. Cette bactérie semble capable de mutations et de passer d'un type à un autre en gardant toute sa virulence.

Une étude de pharmacovigilance, menée sur 18 mois par le laboratoire fabriquant le Méningitec®, admet 4,4 effets secondaires graves sur 100 000 vaccinés, soit un chiffre près de quatre fois supérieur à la fréquence annuelle de la maladie. D'autres études, indépendantes des laboratoires pharmaceutiques, aboutissent à des chiffres cent fois plus élevés (459 accidents graves sur 100 000 vaccinés).

Nos recommandations

Malgré la gravité de la maladie, sa faible fréquence (1,2 cas pour 100 000 personnes en 2003 en Suisse) ne justifie pas une vaccination généralisée. Par contre, en cas d'épidémie par un méningocoque de type C dans une communauté (caserne, internat), une vaccination ciblée doit être envisagée.

Pneumocoque

La maladie

Le pneumocoque est un hôte fréquent des voies respiratoires (environ 30 % de porteurs sains). Il existe près de quatre-vingt-dix types de pneumocoques. Cette bactérie est responsable d'infections banales (pharyngites, otites, sinusites), mais aussi de maladies plus graves (pneumonies, septicémies, méningites). La rate joue un rôle important dans la défense de l'organisme contre ce germe. Les personnes qui ont subi une ablation de la rate suite à un accident ou à une maladie ont un risque élevé d'infection grave due au pneumocoque. Cette vulnérabilité se retrouve dans le sida et dans plusieurs affections chroniques des reins, des poumons ou du foie.

Le traitement classique recourt aux antibiotiques ; cependant la résistance croissante des pneumocoques rend ces affections plus difficiles à traiter.

Le vaccin

Nom de marque : Pneumovax®, Prevnar®.

Jusqu'à ces dernières années, il existait un vaccin constitué de vingt-trois souches proposé aux personnes adultes à risques.

Récemment, un nouveau vaccin constitué de sept souches est arrivé sur le marché. Il pourrait être proposé à tous les enfants, en association avec le vaccin combiné du nourrisson, selon le schéma habituel, soit à 2, 4 et 6 mois avec un rappel vers 2 ans.

Ce que l'on ne vous dit généralement pas

Parmi les effets secondaires fréquents, on note des réactions inflammatoires au lieu d'injection, de la fièvre, des diarrhées, des vomissements, une perte d'appétit, des troubles du sommeil, une irritabilité et de la somnolence. Plus rarement, on observe l'apparition d'un asthme et de convulsions.

Aucune étude au long cours n'a été effectuée et la commercialisation récente de ce vaccin ne permet pas d'exclure des effets secondaires à plus long terme. L'efficacité de ce vaccin, semble bonne pour prévenir les septicémies et les méningites dues au méningocoque, mais la fréquence de ces affections étant faible, le risque de les contracter n'est que très peu diminué avec le vaccin.

Quant à l'efficacité du vaccin sur les otites dues au pneumocoque, elle est pratiquement nulle, ce qui n'empêche pas qu'il soit proposé comme « vaccin contre les otites » !

Nos recommandations

Le bénéfice d'un vaccin doit tenir compte de son efficacité, de ses risques, de la gravité de la maladie contre laquelle il est censé protéger, mais aussi de la fréquence de cette dernière. Selon ces critères, hormis les situations à risque décrites précédemment, une vaccination systématique de tous les enfants contre le pneumocoque ne s'impose pas.

Un enfant souffrant d'otites à répétition ne retirera aucun bénéfice de ce vaccin.

Encéphalite verno-estivale, encéphalite à tiques (FSME[1])

La maladie

L'encéphalite est une inflammation du cerveau qui peut être due à de nombreuses causes. Ici, il s'agit d'une maladie à virus transmise par la morsure des tiques. Ces dernières vivent dans les sous-bois, en bordure de forêt, dans les clairières et le long des chemins forestiers. Au passage d'un animal ou d'un homme, la tique s'y accroche et recherche un endroit où sucer du sang. Ainsi peut se transmettre le virus. La présence de tiques porteuses de la maladie (moins de 1 %) se limite à quelques régions (Suisse orientale, Allemagne

1. De l'allemand : *Frühsommer-Meningo-Enzephalitis.*

du Sud, Autriche, pays de l'Est) durant la période estivale et à une altitude inférieure à 1000 mètres.

Seules 10 à 30 % des personnes infectées présentent une affection de type grippal. 10 % de celles-ci (soit 1 à 3 % du total) développent des symptômes du système nerveux, parmi lesquels des cas d'encéphalite. Dans ce dernier groupe, la mortalité s'élève à moins de 1 %. Des séquelles peuvent survenir.

Notons que la tique peut transmettre une autre maladie, bactérienne, la borréliose de Lyme, sur laquelle le vaccin n'a aucune influence. Une rougeur circulaire se forme alors à l'endroit de la morsure (traitement par antibiotiques).

Le vaccin

Noms de marque : Encepur N®, Encepur N Enfants®, FSME-Immun CC®

Le vaccin (sans mercure) se pratique en trois injections, de préférence en hiver. Il n'est recommandé qu'aux personnes « fréquemment exposées » dans le cadre de leur profession ou de leurs loisirs. Il est contre-indiqué chez ceux qui souffrent de maladie auto-immune ou d'allergie aux protéines des œufs. La protection dure 3 ans.

Ce qu'on ne vous dit généralement pas

Chez un tiers des vaccinés, une enflure douloureuse apparaît sur le lieu d'injection. Une personne sur dix présente, peu après le vaccin, des réactions générales comme fatigue, fièvre, nausées, courbatures et maux de tête. Dans un cas sur mille personnes vaccinées, il peut apparaître une forte réaction ressemblant à une méningite. Les autres manifestations décrites sont : des crampes, des névrites, des troubles visuels, de la surdité, une perte de l'odorat, une dépression, des paralysies, une insuffisance rénale, une sclérose en plaques. En Allemagne, les complications vaccinales déclarées montrent que le risque est plus élevé qu'officiellement admis. Il faut noter que, malgré l'existence d'un vaccin qui leur est réservé, la maladie ne touche pratiquement pas les enfants.

Nos recommandations

Il ne nous semble pas raisonnable de vacciner les personnes modérément exposées. Ceux qui fréquentent occasionnellement une forêt des régions concernées se protégeront efficacement en portant des vêtements longs et des chaussures fermées. Au retour il est utile de bien examiner le corps, pour retirer les tiques si nécessaire puisque le risque de transmission de la maladie semble augmenter avec la durée d'ancrage de la tique dans la peau.

Nos recommandations concernant les vaccins contre les méningites

La grande majorité des méningites est d'origine virale donc bénigne. Les méningites graves, d'origine bactérienne, sont rares et elles ne constituent pas une menace pour la majorité des enfants. La fréquence des méningites chez les petits enfants n'a pas été modifiée par les vaccins, les germes visés ayant été remplacés par d'autres. L'efficacité des vaccins est annulée par la grande capacité de mutation de ces germes.

Avec vingt-six à trente immunisations dans les 24 premiers mois de vie, à un âge où le système immunitaire et le système nerveux sont en pleine maturation, le plan de vaccination du nouveau-né est déjà très chargé. Est-il bien raisonnable de vouloir l'alourdir de deux nouveaux vaccins ?

Vaccins et cancer

Nous avons déjà vu que la publicité pour le vaccin contre l'hépatite B affirmait que celui-ci prévenait en prime une rarissime complication de la maladie qui est un cancer du foie, en France pas même un cas par année dû à l'hépatite B !

Un certain nombre de cancers peuvent être favorisés à long terme par une infection virale. En 2007 a été mis sur le marché le premier vaccin antiviral présenté comme une protection spécifique contre un cancer. C'est un tournant dans l'histoire des vaccinations. Une campagne médiatique exceptionnelle accompagnée d'un lobbying massif ont été suivis de l'introduction immédiate et massive de ce vaccin par les autorités sanitaires de plusieurs pays occidentaux.

Cancer du col de l'utérus

La maladie et les papillomavirus

Dans le monde, ce cancer serait en fréquence le deuxième des cancers gynécologiques, après celui du sein. Mais 80 % des cas sont recensés dans les pays en voie de développement. Dans nos pays, grâce notamment aux contrôles de dépistage, ce cancer est de plus en plus rare et son pronostic bien amélioré. En Suisse, le cancer du col de l'utérus n'arrive qu'au 18e rang en fréquence ; moins de 90 femmes en meurent chaque année.

Les papillomavirus ou virus HPV (*Human papilloma virus*) forment une famille qui comprend plus d'une centaine de membres parmi lesquels les virus responsables des verrues banales. On trouve certains de ces virus dans les condylomes, les dysplasies (appelées aussi *précancéroses*) et les tumeurs cancéreuses du col de l'utérus. Ces virus peuvent être transmis par la peau et par voie sexuelle. Le virus fait rarement des lésions sur la verge de l'homme et, pour les deux sexes, l'infection est indolore.

Il semble établi que ce type de cancer n'existe pas en l'absence du virus, d'où l'affirmation que la prévention de l'infection chronique par le vaccin prévient le cancer qui y est associé.

Le vaccin n'immunise pas « contre le cancer du col de l'utérus » mais contre certains virus HPV.

Les vaccins

Noms de marque : Gardasil® et Cervarix®.

Les deux vaccins contiennent deux souches virales HPV fréquemment associées au cancer. Le premier contient en plus deux souches apparaissant dans les verrues anales et génitales. Les deux sont obtenus par génie génétique. On y trouve plusieurs adjuvants dont l'aluminium.

La vaccination comprend trois injections en l'espace de 6 mois. La durée d'action du vaccin est inconnue. Nous n'avons qu'un recul de 5 ans. Elle est proposée gratuitement en milieu scolaire, avec quelques particularités cantonales. Un accord parental nous paraît indispensable.

Prix des trois injections : en Suisse 700 CHF, en France 440 euros (prix en 2009).

Ce qu'on ne vous dit généralement pas

- *Le vaccin ne couvre pas toutes les infections HPV.* En effet, dans près d'un tiers des cancers du col de l'utérus, on trouve la présence d'un autre type de virus HPV que ceux couverts par le vaccin.
- *Une période d'essais du vaccin trop courte.* Les essais effectués chez l'être humain avant commercialisation n'ont pas duré plus de 4 ans. Aucune des patientes vaccinées n'a développé de cancer, mais aucune non plus dans le groupe de contrôle des femmes non vaccinées !
  Il a cependant été démontré qu'aucune patiente vaccinée n'a présenté de dysplasies, alors que celles-ci étaient présentes chez 0,4 % dans le groupe non vacciné. Cela n'a pas grande signification puisque l'immense majorité des infections à virus HPV guérissent spontanément, y compris pour les souches concernées par ce cancer (70 % de guérison dans la première année, jusqu'à 90 % après deux ans).
- *Infection HPV ne signifie pas cancer.* Seule une infime minorité des infections chroniques, signées par des dysplasies, se transforme en cancer après plusieurs décennies. De

plus, nous n'avons aucune idée de la durée de l'éventuelle protection vaccinale. Des rappels sont déjà envisagés. Cette incertitude est à mettre en parallèle avec le fait que deux tiers des femmes décédées de ce cancer ont plus de 65 ans. Enfin, l'élimination spontanée du virus HPV par le système immunitaire est d'autant plus fréquente que la femme est jeune.

- *Vacciner à 15 ans est-ce utile ou… rentable ?*
  Il nous semble exagéré d'affirmer que ce vaccin effectué à l'âge de 15 ans diminuera le nombre des cancers survenant à 65 ans. Au contraire, un des risques potentiels d'une vaccination à grande échelle pourrait être de retarder l'infection à un âge plus avancé, donc de diminuer le taux de guérison spontanée et d'augmenter finalement la fréquence de ces cancers.
  Pour l'instant, il n'y a aucune preuve valable de l'efficacité de ce vaccin contre le cancer du col de l'utérus. D'ailleurs, la publicité d'un des fabricants parle avec prudence d'un vaccin « pouvant prévenir » ce cancer.
- *D'autres facteurs sont responsables du cancer du col.*
  Le virus HPV n'est certainement pas la seule cause du cancer du col de l'utérus. D'autres facteurs de diminution de l'immunité naturelle sont à prendre en considération : le tabagisme, la prise d'un contraceptif, la précocité des relations sexuelles, la multiplicité des partenaires, le manque d'hygiène, la malnutrition, entre autres.

Et les effets secondaires du vaccin ?

Le système américain de vaccino-vigilance a recueilli jusqu'au 1er avril 2009, 10 699 déclarations d'effets secondaires dont 501 hospitalisations, 2148 cas avec des séquelles persistantes et 33 décès. Officiellement, le vaccin ne serait responsable d'aucun décès.

Ces chiffres doivent être corrigés sachant que seul 1 cas sur 10, voire 1 cas sur 100, est déclaré.

Parmi les femmes qui ont été suivies pendant 4 ans dans le cadre des essais cliniques, il a été constaté trois fois plus de problèmes médicaux sévères que chez les témoins non vaccinés.

Ajoutons qu'une vaccination à grande échelle diminuera certainement la fréquence des souches vaccinales de ce virus, laissant ainsi la place à d'autres souches, qui pourraient aussi s'associer au cancer. Le phénomène est observé avec d'autres vaccins dont celui contre les pneumocoques.

Enfin, l'aluminium contenu dans le vaccin peut endommager le système immunitaire. De plus, c'est un toxique pour le système nerveux.

Nos recommandations

La situation sanitaire actuelle ne justifie pas l'introduction précipitée de ce vaccin d'autant plus que le dépistage précoce du cancer du col de l'utérus se révèle efficace et reste indispensable. Ce système peut encore être bien amélioré en ciblant mieux les femmes mal habituées à ces examens.

Le message officiel tend à dire aux adolescentes « vous êtes vaccinées donc protégées ». Il va à l'encontre de toute la prévention mise en place depuis l'émergence du sida envers les maladies sexuellement transmissibles. L'usage du préservatif reste le meilleur moyen de se protéger contre toute maladie sexuellement transmissible dont les virus HPV font partie.

Dans plusieurs pays, des médecins demandent un moratoire sur le vaccin anti-HPV, estimant prématurée sa généralisation dont l'utilité est loin d'être démontrée mais dont les effets secondaires sont certains.

Notons enfin la démarche de l'Université de Tempere en Finlande qui a entrepris en 2004 une étude de suivi à long terme dont les premiers résultats seront disponibles en 2020. Entre-temps et en l'absence de données claires, nous invitons à renoncer à cette vaccination.

Vaccins pour les personnes âgées

Vieillissement de la population oblige, les personnes âgées sont devenues en Occident une cible vaccinale désignée, pour ne pas dire solvable. Désormais, chaque automne, un matraquage publicitaire tente de convaincre le troisième âge, mais aussi les professionnels de la santé et finalement tout un chacun de réclamer le vaccin contre la grippe. Chez les patients chroniques, ce qui est couramment le cas des personnes âgées, le vaccin contre le pneumocoque (nom de marque spécifique : Pneumovax®-23) peut lui être associé tous les trois ans.

Grippe (virus de l'influenza)

La maladie

La grippe est une maladie virale survenant périodiquement entre décembre et mars. Ne tombent malades que les personnes dont le système immunitaire est vulnérable au virus. L'affection débute brusquement avec de la fièvre accompagnée de douleurs musculaires et de maux de tête, elle dure quelques jours. La guérison est rapide, mais des complications sont possibles et parfois fatales chez les malades chroniques.

La plupart des refroidissements sont dus à d'autres virus que celui de la grippe.

L'épidémie mondiale de grippe en 1918 avait une mortalité exceptionnelle de 30 %. Plusieurs observations de médecins américains portant sur des milliers de cas traités par homéopathie affirment que la mortalité n'était que de 1 %.

Le vaccin

Noms de marque : Fluarix®, Inflexal®, Influvac®, Mutagrip®, Agrippal®, Immugrip®, Previgrip®, Gripguard®

En raison de mutations permanentes du virus, le vaccin affiche chaque année une composition nouvelle, formée des trois différentes souches de virus qui ont la plus grande probabilité d'apparaître l'hiver suivant. Le vaccin développe son effet environ deux à trois semaines après l'injection. La protection conférée durerait de quelques mois à un an. Il est contre-indiqué chez les personnes allergiques aux œufs de poule. La prudence est de mise en cas de grossesse ainsi que chez les jeunes enfants.

Dans la plupart des pays occidentaux, la vaccination annuelle est recommandée pour tous dès 60 ou 65 ans, elle est proposée en outre à ceux qui sont en contact avec des personnes âgées ou avec des malades chroniques. Depuis quelques années, certains spécialistes recommandent la vaccination systématique des petits enfants, dans le dessein de prévenir la contamination des grands-parents.

Ce que l'on ne vous dit en général pas
Outre des impuretés, les vaccins peuvent contenir un composé de mercure, de l'hydroxyde d'aluminium et des traces d'antibiotique. Comme le vaccin est répété chaque année, ces produits s'accumulent dans l'organisme.

Ce vaccin est connu pour provoquer des complications neurologiques graves. Mais dans la publicité en faveur de la vaccination, elles sont minimisées et, dans la pratique, rarement déclarées.

La fréquence élevée des mutations du virus peut entraîner l'inefficacité du vaccin, ce qui serait le cas s'il survenait une nouvelle épidémie généralisée.

Enfin le risque hypothétique d'une épidémie humaine de grippe aviaire ne justifie en rien une campagne généralisée par le vaccin dont il est question ici.

Nos recommandations
Le nombre de refroidissements dus au virus de la grippe est inconnu, tout comme le nombre de grippes évitées grâce au vaccin. Sachant de surcroît qu'il protège mal les personnes âgées à qui il est destiné en priorité, ce vaccin devient un non-sens.

De plus, les campagnes en faveur du vaccin minimisent d'autres façons de se prémunir de la grippe, jugées non scientifiques, ne serait-ce que la vitamine C, l'échinacée, les oligoéléments, l'homéopathie.

Vaccins et voyages

Introduction

Il semble de nos jours que partir en voyage rime avec vaccinations, même pour une semaine dans un hôtel de luxe…

Seule la vaccination contre la fièvre jaune est encore obligatoire pour se rendre dans certains pays, notamment de l'Amérique du Sud et de l'Afrique.

Pour tous les autres vaccins, il s'agit de recommandations, soit comme rappels des vaccins de l'enfance soit comme vaccinations initiales, hépatites A et B, fièvre typhoïde, choléra, encéphalite japonaise, rage.

Pour les voyageurs, les vaccins contre la diphtérie, le tétanos, la polio, la méningite à méningocoque, la rougeole, n'ont pas, pour nous, d'indications autres que celles déjà vues aux chapitres correspondants.

Enfin trois vaccins contre des maladies à virus sont parfois proposés, il s'agit de l'encéphalite à tique (existe également dans les zones tempérées), de l'encéphalite japonaise et de la fièvre de la vallée du Rift (Afrique). Ils ne sont indiqués qu'en cas de séjour prolongé dans les zones concernées.

Quant à la rage, qui est une maladie virale, elle provoque une encéphalite aiguë, presque toujours mortelle. Ce sont les chauves-souris et les renards qui en sont les vecteurs principaux et il est nécessaire que la salive d'un animal infecté entre en contact avec une blessure pour que la maladie soit contractée. Il existe une vaccination préventive, mais qui est très lourde au niveau de ses effets secondaires, et qui n'est indiquée que pour les cas de risque professionnel marqué.

Hépatite A

La maladie

L'hépatite A est une maladie virale, transmise par l'eau ou les aliments contaminés. Dans les pays du Sud, l'hépatite A est considérée comme une maladie d'enfance normale (plus de 90 % des adolescents sont naturellement immunisés, contre 40 % dans les pays occidentaux).

L'incubation dure deux à six semaines et les symptômes sont ceux d'un épisode grippal, avec des signes de « jaunisse » dans une minorité des cas.

Hormis la diète et le repos, il n'y a pas de traitement médical. Certaines thérapies naturelles, comme l'homéopathie ou la phytothérapie peuvent raccourcir l'évolution.

La prévention pour le voyageur consiste à être prudent quant à la qualité de l'eau et des crudités.

Le vaccin

Noms de marque : Epaxal®, Havrix®, Avaxim®.

Le vaccin est préparé à partir de virus tués cultivés sur des cellules humaines. Il est souvent associé au vaccin de l'hépatite B (Twinrix®), sans que les patients en soient toujours clairement informés. Deux injections sont nécessaires pour obtenir une immunité optimale. Le rappel est à faire entre 6 et 12 mois après la première injection. L'immunité dure théoriquement 20 ans.

Ce que l'on ne vous dit généralement pas

Le vaccin peut contenir de l'aluminium et du formol, ce qui peut occasionner des réactions locales et immunitaires plus généralisées (état grippal, allergie, douleurs).

Cette maladie est bénigne dans la plupart des cas. On a évalué le risque de contamination pour un voyageur dans les pays du Sud à un cas de maladie pour trois cents mois de voyage. L'incubation étant de deux à six semaines, en cas de court séjour, la maladie ne survient qu'après le retour.

Nos recommandations

Le vaccin n'est pas à recommander aux touristes et voyageurs occasionnels. Il peut être utile à des personnes se rendant fréquemment dans les pays du Sud, ou voyageant hors des circuits touristiques, lorsque la qualité de l'eau ne peut être assurée.

Il vaudrait mieux éviter de faire le vaccin jusqu'à l'adolescence, car, dans l'enfance, la maladie est particulièrement bénigne.

Par contre, si l'on fait le vaccin contre l'hépatite A, il semble judicieux de faire le rappel dans l'année qui suit, afin de bénéficier d'une immunité durable.

Fièvre jaune

La maladie

C'est une maladie tropicale due à un virus, transmis du singe à l'homme par certains moustiques. Elle se manifeste par de violents maux de tête, une forte fièvre, des troubles neurologiques, une inflammation grave du foie et des reins ainsi que par des hémorragies. La mortalité est plus élevée pour les voyageurs de passage que pour les habitants vivant dans les zones d'endémie. Le traitement suppose une hospitalisation en soins intensifs, difficile à réaliser dans ces pays. La prévention passe par la protection contre les moustiques.

Le vaccin

Noms de marque : Stamaril®, Arilvax®

Ce vaccin n'est pas dénué de risques (allergiques, neurologiques, rénaux). C'est un vaccin à virus vivants atténués, préparé sur des cellules d'embryons de poulet.

La vaccination est pratiquée par des médecins agréés pour la médecine tropicale ; une seule injection confère une protection estimée à dix ans.

Le vaccin est obligatoire pour entrer dans certains pays d'Afrique et d'Amérique centrale (contrôle aux frontières). Il est également obligatoire dans certaines zones saines d'Asie pour les voyageurs venant de régions à risque.

Contre-indication

Chez les nourrissons, les femmes enceintes, en cas d'allergie aux œufs, de maladies rénales ou neurologiques.

Ce que l'on ne vous dit généralement pas

Le vaccin, de par son mode de culture peut transmettre à l'homme le virus de la leucémie des poules. De plus, le virus vaccinal peut subir des mutations, redevenir virulent et provoquer des inflammations du cerveau, des complications allergiques ou rénales.

On a rapporté des réactions gravissimes, voire mortelles, survenues dans des campagnes de masse en Afrique.

Nos recommandations

Ne pas faire ce vaccin en dehors des voyages dans les pays avec obligation. La protection conférée par le vaccin étant probablement bien supérieure à 10 ans, il est conseillé de faire mesurer son taux d'anticorps sanguins pour éviter une revaccination inutile.

Fièvre typhoïde

La maladie

La fièvre typhoïde est une maladie bactérienne qui se transmet par l'eau souillée ou par des aliments avariés.

Elle se manifeste par une fièvre élevée, qui peut durer deux semaines, une diarrhée très forte, douloureuse et sanglante, avec un épuisement important.

Cette maladie a pratiquement disparu de nos latitudes (en raison du contrôle de l'eau potable), mais elle est encore fréquente en Afrique, en Asie ainsi que dans les pays touchés par la malnutrition et la guerre (recrudescence dans les pays de l'ex-URSS). La mortalité mondiale est estimée à environ six cent mille cas par année.

Les antibiotiques sont efficaces sauf dans les cas toujours plus nombreux de résistance des bactéries.

Le vaccin

Noms de marque : Vivotif® et Ty21a® sont les noms d'un vaccin oral qui contient des germes vivants atténués, sous forme de trois capsules à prendre à 48 heures d'intervalle. Typherix® et Taphim Vi® correspondent à une forme injectable. Les deux types de vaccins sont à renouveler tous les trois ans.

Ce que l'on ne vous dit généralement pas

Les deux vaccins n'offrent qu'une protection médiocre, 30 % des personnes vaccinées ne sont pas immunisées.

Les germes du vaccin oral se multiplient dans l'organisme, ce qui explique les éventuels symptômes de diarrhée, vomissements, fièvre, maux de tête. Dans certains cas, les bactéries peuvent se réactiver et entraîner des troubles intestinaux chroniques. Il est donc important de ne pas banaliser les suites de cette vaccination.

Le vaccin injectable provoque de fortes réactions et peut entraîner des atteintes rénales, soit précoces, apparaissant dans les heures qui suivent la vaccination (forte fièvre, douleurs lombaires, sang dans l'urine), soit plus tardives, après une ou deux semaines, avec évolution insidieuse vers une insuffisance rénale chronique.

Nos recommandations

La vaccination contre la fièvre typhoïde est recommandée pour les pays chauds, mais n'est pas obligatoire. Compte tenu des risques, non négligeables, des vaccins, une hygiène alimentaire et de l'eau potable devraient être privilégiées, précautions élémentaires dont ne dispense pas une éventuelle vaccination. En cas de risque d'exposition, préférer le vaccin oral.

Choléra

La maladie

C'est une maladie bactérienne transmise par l'eau et les aliments souillés. Dans le passé, le choléra a fait partie des grandes épidémies qui ont décimé les populations européennes.

Le choléra est actuellement endémique dans de nombreux pays, avec des épidémies se déclarant épisodiquement dans des zones surpeuplées ou en guerre.

La contamination se fait en ingérant de l'eau souillée par les selles infectées et par la consommation de fruits de mer et d'aliments contaminés.

Le vaccin

Noms de marque : Orochol®, Duchoral®

La protection ne dépasse pas six mois.

Ce que l'on ne vous dit généralement pas

C'est un vaccin oral assez peu efficace, ne protégeant que 50 % des personnes vaccinées.

Les antibiotiques ne sont pas efficaces contre le germe, mais le traitement homéopathique a donné de très bons résultats selon les homéopathes du XIXe siècle, qui ont fait face à des épidémies importantes. Plus récemment l'association Homéopathes sans frontières a confirmé ces bons résultats lors d'une récente épidémie au Pérou.

Nos recommandations

Si l'on se rend dans une zone infectée, il est important de prendre des précautions avec les aliments et les boissons.

Il n'est pas utile de recourir à ces vaccins, il suffit de respecter des mesures d'hygiène préventive et d'emporter quelques remèdes homéopathiques ciblés.

Nos conclusions sur les vaccins et les voyages

De manière générale, la prévention de plusieurs maladies dangereuses passe par les précautions face aux piqûres de moustique et par une grande attention à la qualité de l'eau et des aliments. Ne boire que de l'eau en bouteilles fermées, l'eau gazeuse étant une preuve supplémentaire de la qualité de la fermeture, ou de l'eau bouillie ou passée par un processus désinfectant efficace.

Les aliments seront cuits et les fruits et légumes pelés, si possible par les voyageurs eux-mêmes. Un apport de flore bactérienne intestinale de qualité durant le voyage apporte une précaution supplémentaire.

Si l'on choisit de se soumettre à certaines vaccinations, il s'agit de les faire suffisamment à l'avance pour ne pas confondre effet secondaire du vaccin et maladie liée au voyage. Si possible ne pas faire plusieurs vaccins le même jour, pour vérifier les réactions de chacun.

Prochains vaccins

Les vaccins représentent un marché en pleine expansion et, comme le nombre de maladies est illimité, le marketing consiste à convaincre qu'il est nécessaire de se protéger contre le plus grand nombre de risques possibles.

D'habiles campagnes sont menées, sur fond de peur, pour convaincre les médecins et la population que certaines affections rares ou considérées jusqu'ici comme bénignes présenteraient, en réalité, des risques majeurs. C'est le cas de la méningite à *Hæmophilus* et de l'hépatite B pour les affections rares, et de la rougeole, de la rubéole, des oreillons ou de la grippe pour les affections généralement bénignes.

La varicelle est d'ores et déjà ciblée par le programme vaccinal. Depuis huit ans, on prépare l'opinion publique à considérer cette maladie bénigne comme une menace importante.

À l'occasion de petites épidémies de méningite à méningocoque en 2002, certains ont tenté d'en introduire la vaccination de routine, mais le fruit n'était pas mûr. Le terrain se prépare pour la vaccination contre le pneumocoque, responsable d'infections pulmonaires chez les personnes âgées et de méningites chez le tout-petit.

Plus de cinquante vaccins sont à l'étude contre l'asthme, la diarrhée du voyageur, certains cancers, des toxicomanies, l'ulcère d'estomac, l'hypertension, la carie dentaire, etc.

On ne parle plus de maladies infectieuses, mais de toutes les « maladies évitables par les vaccinations », comme c'est déjà le cas pour le dernier vaccin ajouté à la liste des immunisations de routine, le vaccin « contre le cancer du col de l'utérus ». Et la liste risque bien de se prolonger indéfiniment à moins d'une prise de conscience critique du public et des professionnels à l'égard des vaccins.

Les laboratoires planchent sur un vaccin contre le sida qui serait le bienvenu. D'un autre côté, bien que la malaria soit la maladie infectieuse la plus répandue dans l'hémisphère sud, peu de recherches sont consacrées à la mise au point d'un vaccin, parce que les populations touchées ne sont guère solvables.

Conclusion

Prévention des complications vaccinales

Les médecins auteurs de cet ouvrage souhaitent que chacun s'informe sur les vaccinations proposées par les services de santé publique et fasse usage de sa liberté de choix, même lorsque celle-ci est restreinte. Ils proposent de garder à l'esprit les règles suivantes :

Aucun vaccin n'est anodin. Renoncer à vacciner c'est prendre un risque, mais vacciner inutilement c'est prendre un risque plus grand. Il faut se souvenir que les complications vaccinales sont fortement sous-estimées par le corps médical et censurées par les laboratoires et les autorités de surveillance. Pourquoi vacciner contre une maladie très rare ou sans gravité ? Pourquoi accepter un vaccin dont le bénéfice est incertain ?

Chaque acte vaccinal devrait être personnalisé en tenant compte de l'état de santé de la personne, de ses conditions de vie, des risques de contamination.

Éviter de vacciner avant l'âge d'un an, sinon différer au maximum la date des premières vaccinations. Le système immunitaire du tout-petit est immature. Il est absurde de lui infliger à deux mois l'agression de cinq ou six maladies à la fois, combinées avec divers produits potentiellement nocifs, comme le mercure, l'aluminium, le formol, les nombreuses impuretés dues au mode de fabrication comme les antibiotiques.

Éviter de vacciner un enfant affaibli ou malade. Prudence avec les personnes allergiques, souffrant d'eczéma ou d'asthme, car elles ont tendance à réagir à tout avec excès.

Ne jamais répéter un vaccin qui a provoqué des réactions générales inquiétantes.

Dans la mesure du possible, éviter les vaccins combinés. Au pire, ne pas utiliser des produits contenant plus de trois vaccins.

Nous proposons de renoncer aux vaccins contre la coqueluche et la méningite à *Hæmophilus*. Ceci permet d'attendre le début de la deuxième année pour pratiquer les vaccins obligatoires, soit en France : tétanos, diphtérie, polio et B.C.G.®. Pour les pays sans obligations, nous ne recommandons pas le B.C.G.® ni le vaccin antidiphtérique et ne sommes pas convaincus de l'utilité de celui contre la polio là où cette maladie a disparu.

Pour les maladies d'enfance, comme la rougeole, les oreillons, la rubéole et la varicelle, nous préférons attendre la puberté pour contrôler l'immunité sanguine des filles contre la rougeole et la rubéole, et celle des garçons contre la rougeole et les oreillons, et ne vacciner que si les résultats sont négatifs. Pas de vaccin contre la varicelle.

Quant au vaccin contre l'hépatite B, il doit être réservé aux quelques adultes appartenant aux groupes à risques.

Traitement des complications vaccinales

La plupart des complications à court terme sont bénignes, mais un certain nombre de maladies graves semblent favorisées par les vaccinations et surviennent tardivement, comme l'autisme, des troubles du caractère, des dyslexies et autres affections neurologiques, des allergies, des maladies auto-immunes. L'homéopathie pratiquée par un professionnel donne souvent de bons résultats dans les cas réversibles.

Programmes officiels de vaccination des enfants

Les vaccins du programme de routine ne sont pas tous obligatoires. Si l'on ne veut pas appliquer le programme habituel, il est nécessaire de bien connaître les obligations légales de son pays. Cet inventaire est valable au printemps 2007.

France
Le seul pays où trois vaccins sont obligatoires : les vaccins antitétanique, antidiphtérique et antipoliomyélitique. Le programme habituel comprend en outre le vaccin rougeole-oreillons-rubéole, le vaccin contre la méningite à *Hæmophilus* et, depuis peu, le vaccin contre l'hépatite B et contre le pneumocoque.

Les autres vaccinations sont facultatives, mais la pression psychologique est très forte de la part des pédiatres et des collectivités.

Ceci représente pour un adolescent un total de trente-neuf immunisations au minimum contre dix maladies. À 24 mois, l'enfant tient à peine debout, il ne sait pas encore parler et l'on a tout mis en œuvre pour le protéger des dangers de la vie, mais avec ce programme vaccinal il a déjà affronté sept maladies importantes et reçu vingt-sept immunisations.

Le vaccin contre l'hépatite B est imposé l'ensemble du personnel des institutions médicalisées.

Belgique
Un seul vaccin obligatoire pour tous : poliomyélite avant 18 mois.

Imposition de la panoplie totale, R.O.R., diphtérie-tétanos-coqueluche-polio-*Hæmophilus*, pour entrer dans les crèches. Le B.C.G.® ne fait pas partie des vaccinations de routine.

Le vaccin contre l'hépatite B est imposé au personnel médical et paramédical, sous peine du refus de prise en charge par l'assurance maladie.

Obligation légale de se vacciner contre le tétanos, pour certaines professions exposées à des traumatismes.

Suisse

Les cantons ont une large autonomie dans le domaine sanitaire et édictent chacun leurs propres obligations vaccinales ! Dans les faits, les obligations ont été pratiquement abrogées par tous les cantons, (à l'exception de Fribourg qui impose encore diphtérie-tétanos avant l'âge de deux ans). Aujourd'hui les recommandations vaccinales de l'Office fédéral de la santé publique sont appliquées partout, mais légalement chacun a le droit de choisir.

Le programme ressemble à celui de la France, à l'exception du B.C.G.® qui n'est plus pratiqué. Le vaccin de l'hépatite B est proposé à l'adolescence, mais bien des pédiatres le pratiquent dans la première année. Depuis 2006, « les parents soucieux d'offrir à leurs enfants une protection optimale » sont invités à les vacciner dès leur plus jeune âge contre la méningite à méningocoque et le pneumocoque et, vers 10 ans, contre la varicelle.

Le conditionnement de l'opinion publique permet, par la peur et la culpabilisation, d'obtenir une adhésion de la majorité des parents sans recours à la contrainte légale.

Québec

Pas d'obligation vaccinale. Mais le programme vaccinal et les pressions morales sont les mêmes qu'ailleurs.

Ouvrages recommandés

« Le guide des vaccinations, faut-il vacciner ? », *Alternative Santé – L'impatient*, Hors série n° 20, 2e édition, avril 2000.

BERTHOUD Françoise, *Mon enfant a-t-il besoin d'un pédiatre, petit manuel pour parents autonomes,* Genève, Éditions Ambre 2006.

CHOFFAT François, *Vaccinations, le droit de choisir*, Genève, Éditions Jouvence, 2001.

GEORGET Michel, *Vaccination, les vérités indésirables*, Saint-Jean-de-Braye, Éditions Dangles, 2000.

GIACOMETTI Éric, *La santé publique en otage, les scandales du vaccin contre l'hépatite B*, Paris, Albin Michel, 2001.

SIMON Sylvie, *Vaccination l'overdose, désinformation, scandales financiers, imposture scientifique*, Paris, Éditions Déjà, 1999.

Sites internet

Suisse

Groupe médical de réflexion sur les vaccins, **www.infovaccins.ch**

France

Ligue nationale française pour la liberté des vaccinations (LNPLV), **www.infovaccin.fr**
Association Liberté Information Santé (ALIS), **http://alis.asso.fr**
Dr Marc Girard : **www.rolandsimion.org** et **http://pagesperso.aol.fr/agosgirard**
Réseau Vaccin Hépatite B (REVAHB), **www.revahb.org**

Union européenne

Forum européen de vaccino-vigilance, **http://users.pandora.be/vaccine.damage.prevention**

États-Unis

Vaccination News, **www.vaccinationnews.com**
Whale, **www.whale.to/vaccine.html**

Canada

Vaccination Risk Awarness Network, **www.vran.org**

Australie

Australian vaccination Network, **www.avn.org.au**

Le Groupe médical de réflexion sur les vaccins

1987 : L'Office fédéral de la santé publique (OFSP) lance une campagne nationale de vaccination contre la rougeole, la rubéole et les oreillons (R.O.R.). Le but avoué, à terme : l'éradication totale de ces maladies qui, menace-t-on, peuvent provoquer de graves complications si on ne les prévient pas. Des dérives, notamment des tests de vaccins sur des enfants sans le consentement de leurs parents, mais aussi une information alarmiste et à sens unique poussent une dizaine de médecins praticiens de Suisse romande à montrer « la face cachée de la lune ». Ils créent le Groupe médical de réflexion sur les vaccins. Objectif : nuancer les vérités officielles, donner un autre point de vue, livrer au public une information large et complète pour que chacun puisse choisir en connaissance de cause. Leur action se voulait ponctuelle. Mais l'application massive des nouveaux vaccins, accompagnée d'un manque de transparence chronique, a enraciné l'action du Groupe médical de réflexion sur les vaccins. Il poursuit aujourd'hui un travail bénévole et totalement indépendant, au service d'une démarche citoyenne.

Dix-sept ans plus tard, le succès de l'initiative ne s'est pas démenti. Les quatre brochures d'information réalisées par le Groupe médical de réflexion sur les vaccins ont connu un succès inespéré. De plus en plus de personnes revendiquent le simple droit à l'information et au libre choix.

Depuis 2003, le site Internet www.infovaccins.ch complète l'éventail informatif. Les conférences de Michel Georget en Suisse romande s'inscrivent dans la continuité de cette action.

Publications du Groupe

Vaccin R.O.R. : parents, vous êtes concernés ! Un point de vue médical différent, 1987, épuisé.

Campagne de vaccination contre l'hépatite B : parents et adolescents, vous êtes concernés, 1998.

Vaccination – pour un choix personnalisé, 2000, épuisé.

Méningites et vaccination – Entre peur et raison, comment choisir, 2002.